Julian Hermsen

Der Millionär und der Mönch

Julian Hermsen

DER MILLIONÄR UND DER MÖNCH

Eine wahre Geschichte über den Sinn des Lebens

2. Auflage

Lektorat/Korrektorat: Mentorium GmbH,
Tempelhofer Damm 140, D-12099 Berlin
Umschlaggestaltung: Niko Ekkert | www.pepper-agency.de
Buchsatz: Anika Ackermann

Druck: kdp
ISBN: 978-3-00-069376-2

I

ICH WAR UNGLÜCKLICH. Der Drucker surrte leise, zog ein leeres Blatt Papier ein und da war es. Mein Flugticket nach Thailand und zurück. In zwei Tagen sollte es soweit sein. Drei Wochen Abstand, Ruhe und Entspannung bei buddhistischen Mönchen. So war der Plan, den meine Assistentin Linda mir seit Langem versuchte schmackhaft zu machen. »Andreas, du musst dir wirklich mal eine Auszeit nehmen, du bist dem Burnout nahe«, hörte ich die warnenden Stimmen meiner Angestellten in meinem Kopf nachhallen. *Also noch einen Tag ins Büro und dann ab ins Flugzeug,* dachte ich mir, während ich mir in Erinnerung rief, wann ich zuletzt im Urlaub war. »Vier Jahre«, murmelte ich in meinen dicken Rollkragen. Es war kalt in Deutschland. Vielleicht hatten meine Angestellten ja Recht und die Sonne in Thailand würde mir neue Kraft geben. Ich nahm das Blatt Papier aus dem

Drucker, faltete es entlang der gestrichelten Linie und schnitt es sorgfältig auseinander. Das Ticket für den Hinflug platzierte ich in der ersten Folie meines Ordners mit der Aufschrift „Thailand". Darunter prangte ein Bild von einem Mönch in traditioneller orangener Robe, im Schneidersitz einem Schrein zugewandt und die Hände betend vor das Gesicht haltend. *Wieso mache ich das? Ich hoffe meine Firma überlebt mein Fernbleiben. Was ist, wenn meine Stellvertretung der Aufgabe nicht gewachsen ist?* Ich griff zum Mobiltelefon, wählte in den Kontakten die Nummer von Frau Berns, meiner Stellvertreterin, und hielt mir das Handy ans Ohr.

Es ist Sonntagabend Andreas, leg gefälligst auf, schoss es mir da in den Sinn. Peinlich berührt legte ich das Mobiltelefon mit dem Display nach unten auf meinen Schreibtisch. Schnell zückte ich meinen Kalender und notierte mir für den kommenden Tag: „Meeting mit Frau Berns – erneute Besprechung der kommenden drei Wochen". Ich öffnete meinen Laptop, startete das E-Mail- Programm und begann, hektisch zu tippen. Empfänger: Luise Berns, Betreff: Abwesenheit Andreas. »Guten Tag Frau Berns«, begann ich den ersten Satz, als mein Blick auf den immer noch neben mir liegenden Ordner mit dem großen Bild eines Mönches fiel. Ich schloss das offene Fenster mit der angefangenen E-Mail und klappte den Laptop zu. *Vielleicht tut mir etwas Ruhe und Entspannung doch gut,* dachte ich und sagte beruhigend zu mir selbst: »In drei Wochen bist du ja wieder zurück und mit dem Handy kannst du auch von Thailand aus alles kontrollieren und delegieren.« Halbwegs zufrieden mit dieser Aussage legte ich mich in mein großes, leeres Doppelbett und dachte nach. *Ich habe alles, was ich je wollte. Eine sündhaft teure Villa, unzählige Luxusautos, eine eigene Hausdame, die teuersten Anzüge der Stadt, einen eigenen Fahrer … Warum bin ich immer noch nicht glücklich?*

Der nächste Tag begann wie jeder Tag. Um Punkt 5:30 Uhr klingelte der Wecker. Das Erste, was ich jeden Morgen sah, war der große, rechteckige Bilderrahmen, der unter meiner Zimmerdecke schwebte. Darin ein von hinten beleuchteter Schriftzug: „Keine Festung ist so stark, dass Geld sie nicht einnehmen kann – Cicero". *So sei es,* dachte ich mir selbstbewusst und hob meine Beine mit schmerzverzerrtem Gesicht über die Bettkante, sodass ich aufrecht im Bett saß. Ich hatte Schmerzen. Schon seit Langem. Der Rücken schmerzte, die Hüfte zwickte und die Knie plagten mich. *Ja so ist das eben mit fünfzig,* dachte ich mir. Mein nächster Blick galt meinem iPhone. Siebzehn neue E-Mails lasen meine von der Dunkelheit noch nicht ganz aufnahmefähigen Augen. Ich nahm einen tiefen Atemzug, klopfte mir wie ein Berggorilla mit den Fäusten auf die Brust und stand auf. Bis zur Tür meines Hauptschlafzimmers waren es geschätzt zwanzig Meter, die ich dank meines weichen Hochflorteppichs jeden Morgen aufs Neue gerne beschritt. Ich lief im oberen Stockwerk meines Hauses quer über den Flur Richtung Badezimmer, das genau frontal gegenüber lag. Die letzte Türe auf der rechten Seite stand einen Spaltbreit geöffnet.

Ich hielt kurz inne und betrachtete die massive, dunkle Holztür. „LARA" stand dort in Großbuchstaben – meine Tochter. Seit der Scheidung von meiner Frau vor vier Jahren ging auch Lara ihren eigenen Weg und studierte nun in New York. *Was Geld alles bewirken kann,* dachte ich stolz, mir in Erinnerung rufend, wer ihr Studium an der Columbia Law School finanziert hatte.

»Alexa, Licht Badezimmer an«, befahl ich der kleinen, weißen Box auf der Empore neben meinem Spiegel. Und Alexa gehorchte. »Wäre doch nur jede Frau so unkompliziert«, lachte ich und begann mit meiner morgendlichen Routine. Duschen, Rasieren, Bodylotion, Haare föhnen. Mit einem großen, samtweichen Handtuch knapp unter Bauchnabelhöhe zusammengebunden verließ ich das Bad Richtung Ankleidezimmer. Die goldene Türklinke aus Messing bereits in der Hand haltend, nahm ich Geräusche aus dem Zimmer wahr. »Marta?«, rief ich leise, aber bestimmt in Richtung Tür.

»Andreas, entschuldige bitte, ich habe heute verschlafen und bin eben erst dazu gekommen, deinen Anzug an die Garderobe zu hängen. Nun ist alles fertig, ich komme heraus.« Zaghaft öffnete sich die Tür und heraus trat Marta. Verschreckt, aber mit der gewohnten Wucht an Liebenswürdigkeit stand sie vor mir. Sie war nun bereits seit sechzehn Jahren meine Hausdame und ich wollte sie nicht mehr missen.

»DU brauchst dich bei niemandem entschuldigen, meine Teuerste«, meinte ich aufrichtig und legte meine Hand leicht auf ihre Schulter. Mit einem meiner feinsten Anzüge verließ ich das Ankleidezimmer und begann die gebogene Wendeltreppe herunterzulaufen. Die großen, ovalen Fenster über der Treppe ließen das Sonnenlicht hinein. Ich vernahm den Duft von frischem Kaffee, Orangensaft und Croissants, die eben erst aus dem Ofen gekommen sein konnten. *Ach Marta,* dachte ich und war mir bewusst, wie gut es mir eigentlich ging. Das Frühstück verspeiste ich wie jeden Morgen innerhalb von fünf Minuten. Marta reichte mir meinen Mantel, meinen Aktenkoffer und wünschte mir einen erfolgreichen letzten Arbeitstag. Ich öffnete meine massive Haustür und trat heraus auf den Hof. Die beiden Löwenköpfe links und rechts des Eingangs glänzten in der Morgensonne. Mit zugekniffenen Augen erkannte ich meinen tiefblauen Maybach, der soeben den großen Brunnen in der Mitte des Hofes umfuhr und auf mich zusteuerte. Ich stieg die Treppenstufen herab und wartete, bis der Wagen mit der hinteren, rechten Tür auf meiner Höhe war. Die Fahrertür öffnete sich rasch und Jochen stieg heraus.

Jochen war mein Fahrer und einer der loyalsten Menschen, die ich kannte. »Bleib sitzen, mein Freund«, begrüßte ich ihn und öffnete die Tür selbst. Wie jeden Morgen stieg mir mein favorisierter Vanilleduft gepaart mit dem Duft von frisch gereinigtem Nappaleder in die Nase. Ich ließ mich auf das weiche Leder gleiten und schloss meine Augen. „I get knocked down, but I get up again", schallte es aus meinem iPhone und unterbrach jäh meinen Versuch, kurz zur Ruhe zu kommen. „Unbekannte Nummer", zeigte das Display. »Andreas Berger«, meldete ich mich hörbar genervt. Keine Antwort. Daraufhin unterbrach ich das Telefonat und legte verärgert auf. »Sehr lustig«, zischte ich wütend und dachte ernsthaft daran, meine Telefonnummer zu wechseln. Jochen warf mir durch den Rückspiegel einen kurzen Blick zu und fuhr durch das große Tor am unteren Ende der Einfahrt.

Nach einigen Minuten ruhiger Fahrt kamen wir an eine vierspurige Kreuzung. Jochen setzte den Blinker nach rechts, ordnete sich auf der rechten Fahrbahn ein und hielt an der Haltelinie vor der roten Ampel.

Ich bemerkte, wie sein Blick mehrmals durch den Rückspiegel auf mich fiel. Er wirkte besorgt. Beim Anfahren sah ich es dann. »So eine Scheiße hier, jeden Morgen dasselbe, wo wollen die alle hin«, fluchte ich wütend, angesichts des täglichen Staus auf dem Weg in die Firma.

»Wir können es nicht mehr ändern, Herr Berger«, versuchte Jochen mich zu beschwichtigen, doch in seiner Stimme war keine Hoffnung zu hören, dass es mir dadurch besser gehen könnte.

Ich war wütend. Auf den Stau. Auf den Verkehr. Auf alle anderen Menschen, die gerade jetzt in ihren Mittelklassewagen zum Einkaufen oder zu ihrem Job als Versicherungsvertreter fahren mussten. »Ich sollte eine eigene Spur bekommen«, motzte ich wütend von der Rückbank. Ich dachte wirklich, dass mein Leben und alles, was dazu gehörte, wichtiger wären, als das der anderen. Jochen, der mit meinen Wutausbrüchen während einer Autofahrt bestens bekannt war, blieb still. Ich betätigte den kleinen Knopf in der Mittelkonsole und leise surrte die schwarze Trennwand zwischen der vorderen und der hinteren Sitzreihe nach oben. Nach einiger Zeit setzten wir unsere Fahrt fort.

Fünfzehn Minuten später lenkte Jochen den Wagen sanft auf das Firmengelände. Der Pförtner sah uns bereits kommen und öffnete von Weitem die Schranke, die Zutritt auf den Firmenparkplatz gewährte. Jochen steuerte das Auto souverän an sechs langen Parkreihen vorbei, auf denen nur vereinzelt einige Mittelklassewagen standen. *Es ist ja erst 6:30 Uhr,* erklärte ich die Situation für mich. Vor dem Haupteingang mit meinem Namen in Großbuchstaben auf dem Dach stoppte Jochen das Auto gefühlvoll auf dem Parkplatz mit dem Schild „Geschäftsführung". Das war mein Parkplatz. Ich stieg aus und lief hinten um das Auto herum. Auf Höhe der Fahrertür, warf ich Jochen einen anerkennenden Blick zu, gefolgt von einem kurzen Nicken, das ihm signalisierte, dass er nun fahren könne.

II

NUN BETRAT ICH meine Welt. Die beiden gläsernen Schiebetüren öffneten sich leise. Ich trat über die Schwelle in meine Firma. „Herzlich Willkommen", präsentierte sich eine große Fußmatte, die die gesamte Breite des Eingangs in Beschlag nahm. Mein Weg führte wie jeden Tag an der Empfangsdame vorbei. »Guten Morgen, Herr Berger«, kommentierte sie freundlich lächelnd mein Er- scheinen. Ich lief den langen Empfangsbereich entlang und schloss die Tür des Aufzugs von innen, indem ich meinen Schlüssel in das Schloss der dreizehnten Etage steckte. Oben angekommen, öffnete sich die Tür leise und ich betrat meine Etage. Vorbei an den gläsernen Konferenzräumen, die ich liebevoll mit Olivenbäumen und modernen Kunstwerken gestaltet hatte, betrat ich mein Büro. Ich liebte es. Der große Schreibtisch aus Mahagoni prangte in der Mitte des etwa fünfzig Quadrat- meter großen Raumes. Die Wände waren gespickt mit gerahmten Fotos, meistens von mir und einer bekannten Persönlichkeit aus der Politik, dem Sport oder der Wirtschaft. Ich ließ mich in meinen Sessel aus braunem Kalbsleder gleiten und öffnete meinen Laptop. „7:00 Uhr: Quartalszahlen", ploppte eine Mittelung auf.

Meine Assistentin Linda erschien in der Tür zum Büro. »Guten Morgen, Andreas«, strahlte sie mich an.

»Guten Morgen, Linda«, erwiderte ich souverän.

»Ich habe hier Ihren Kaffee und die Tageszeitung. Die Post habe ich bearbeitet und an die zuständigen Mitarbeiter weitergeleitet. Sie sind wie immer im CC. Der Konferenzraum Berlin ist für Ihr Meeting um 7:00 Uhr vorbereitet. Benötigen Sie noch etwas?« Souverän gab sie mir ihren morgendlichen Bericht. Ich liebte Berichte. Alles musste seine Ordnung haben.

»Vielen Dank, Linda«, erwiderte ich, »bitte bestellen Sie die komplette Führungsetage zu einem Meeting um 13:30 Uhr.«

»So gut wie erledigt, Andreas«, erwiderte sie freundlich, drehte sich auf dem Absatz um und ging zurück an ihren Schreibtisch.

So gut wie erledigt?, klangen ihre Worte in meinem Kopf nach, während mir bewusst wurde, wie sehr ich unvollendete Tatsachen verabscheute. *Sag mir einfach, wenn es erledigt ist,* dachte ich und spürte eine leichte Wut in mir aufsteigen. Ich hatte diese Firma schließlich alleine aufgebaut. Hatte über Jahre Zeit, Schweiß, Energie und viel Geld investiert. Das alles hatte ich mit strengen Regeln, Disziplin und Ehrgeiz geschafft. Dessen war ich mir sicher.

Mein Meeting mit den Abteilungsleitern, die mir ihre Quartalszahlen präsentierten, lief zufriedenstellend. In allen Abteilungen war der Gewinn um mehr als vier Prozent im Vergleich zum vorherigen Quartal gestiegen.

Dennoch erwischte ich mich dabei, wie ich bei der Präsentation von Herrn Czesnik aggressiv „Warum nicht 24%?????" auf meinen Notizblock kritzelte. Am Morgen las ich in der Wirtschaftswoche, dass Elon Musk über Nacht mehrere Milliarden Euro verdient hatte. *Der muss superglücklich sein,* war ich mir sicher. Ich war der festen Überzeugung, dass ich mehr Geld verdienen musste. Ich war reich, ja viele sagten sogar sehr reich. Dennoch träumte ich von einem Privatjet. *Ich wette Elon Musk hat einen.* Ich spürte meinen Unmut bei diesem Gedanken und schrieb auf meine To-do-Liste: „In Thailand neue Impulse zur Gewinnmaximierung finden".

Das Meeting um 13:30 Uhr mit der der kompletten Führungsetage, inklusive Frau Berns, verlief sehr frustrierend. Ich hatte schließlich noch einmal bekannt gegeben, dass ich ab dem nächsten

Tag für die nächsten drei Wochen nicht hier sein würde. In meinem Büro. Da, wo ich immer gewesen war. Die letzten vierundzwanzig Jahre. Die Reaktionen zeugten von Verständnis, Freude und Erleichterung. Kein einziger wagte zu sagen, was es für ein Risiko sei, dass der Kopf der Firma für drei Wochen abwesend sein sollte. Missmutig bedankte ich mich bei den Führungskräften und verabschiedete sie mit den Worten: »Ich erwarte bei allem, was außerplanmäßig passiert, eine Meldung. Mein Handy ist Tag und Nacht eingeschaltet. Selbstverständlich bin ich immer erreichbar.« Die Kollegen standen auf und verließen geschlossen den Konferenzraum. »Wir sehen uns dann in drei Wochen«, rief ich ihnen hinterher, in der Hoffnung, wenigstens einer würde mein Fernbleiben bedauern. Ich ahnte nicht, dass die von mir angekündigte Rückkehr niemals stattfinden würde.

Der Rest des letzten Tages meines Lebens verlief gewöhnlich. Unzählige Anrufe, eine Flut von E-Mails, Zahlen, die es zu überprüfen galt, Überwachungskameras checken. Standard. Um kurz vor 22 Uhr betrat Linda mein Büro und fragte mit einer leichten Überraschung in ihrer Stimme: »Andreas, Sie sind noch hier?«

»Ich muss hier drei Wochen vorarbeiten, Linda?!«, erwiderte ich in verständnislosem, vorwurfsvollen Ton und ergänzte: »Ehrlich gesagt weiß ich nicht, ob ich wirklich fliegen soll. Wie soll das funktionieren? Meine Firma braucht mich.«

»Andreas«, lächelte Linda und kam langsam auf meinen Schreibtisch zu, »wir alle hier möchten, dass Sie auch die nächsten vierundzwanzig Jahre so erfolgreich ihre Firma leiten. Sie brauchen wirklich eine Auszeit. Ich werde täglich hier sein und Sie über alles informieren, was passiert, das verspreche ich Ihnen.« Ich war wenig überzeugt, aber das Ticket war ja schon gebucht und ich hatte neben meinem Handy noch meinen Laptop, ein Tablet und einen Notizblock eingepackt. *Wird schon gut gehen,* dachte ich und war mir bewusst, dass ich dies nicht so recht glaubte. »Rufen sie bitte Jochen, ich fahre jetzt«, wies ich Linda an.

»Er parkt bereits unten, Andreas«, entgegnete sie.

Wenn alle so wären wie Linda, hätte ich weniger Sorgen, war ich mir sicher. Ich verabschiedete mich von Linda, fuhr mit dem Aufzug ins Erdgeschoss und lief unter gedämpftem Licht, vorbei an der leeren Rezeption, hinaus ins Freie. Jochen empfing mich mit einem herzlichen Lächeln und hatte bereits die Tür geöffnet. Ich nahm Platz und der Maybach setzte sich in Bewegung. »Halten Sie mal kurz an, Jochen«, befahl ich plötzlich. Das Auto stoppte, ich drehte mich um und sah ein letztes Mal stolz, aber auch schwermütig auf meine Firma. Die großen Buchstaben auf dem Dach waren – der Tageszeit angepasst – in einem sanften Rot beleuchtet. Nie im Leben wäre mir in den Sinn gekommen, dass ich diesen Anblick so nie mehr sehen würde. »Danke, Jochen«, meinte ich und gab ihm damit zu verstehen, dass er die Fahrt nun fortsetzen könne.

Der Rest des Tages verlief ereignisarm. Meine Koffer waren bereits gepackt und ordentlich im Hausflur an der Seite abgestellt. Auf ihnen lag ein Zettel: „Lieber Andreas, ich wünsche Dir einen entspannten Urlaub. Mach Dir bitte keine Sorgen um das Haus. Ich gebe gut darauf Acht. Liebe Grüße, Marta." Sie war bereits nach Hause gefahren und das Haus war leer. Die schwache, indirekte Beleuchtung an den Treppen warf gerade so viel Licht in den Flur, dass ich die Größe meines Anwesens erfassen konnte. Mit den Händen in den Hosentaschen schlenderte ich langsam durch jeden Raum, in jede Nische und beobachtete die Leere. *Ich vermisse meine Frau und meine Tochter,* stellte ich bedrückt fest, verwarf diesen Gedanken jedoch schnell wieder. »Das ist nun einmal der Preis des Erfolgs«, sprach ich vorwurfsvoll mit der großen Leere. An diesem Montagabend ahnte ich nicht, dass mir in wenigen Tagen eine ganz neue Sichtweise auf die Dinge gegeben werden würde und ich mich selbst schon bald nicht mehr als erfolgreich betiteln würde.

III

DER DIENSTAGMORGEN IM April 2013 begann zunächst wie jeder Morgen in den letzten Jahren, mit der Ausnahme, dass ich drei Stunden früher als gewöhnlich aufstand. Mein Frühstück hatte Marta bereits am Vortag vorbereitet und auf dem Tisch im Esszimmer ausgebreitet. Ich verspeiste es hastig. Mit feinem Anzug stand ich später im Eingangsbereich und sah Jochen dabei zu, wie er meine drei vollgepackten Koffer in den Maybach lud. Es war noch dunkel und recht kühl, vielleicht vier oder fünf Grad Celsius. Ich schloss die Haustür, setzte mich ins Auto und blickte noch einmal auf mein Anwesen. *Hoffentlich geht das alles gut,* kam es mir in den Sinn.

Jochen hatte an diesem Tag besonders gute Laune. Rückblickend glaube ich, dass er ahnte, dass meine Reise mich in meinen Grundfesten verändern würde.

Wir fuhren die ungefähr fünfzehn Kilometer bis zum Flughafen. Jochen parkte den Maybach genau vor dem Haupteingang und stieg aus. Ich sah die Blicke der anderen Menschen. Neidisch, nicht gönnend, aber auch bewundernd. Für mich war es ein Gefühl von Stolz. »Ja, der Maybach ist meiner, nicht geleast, 250.000 Euro in bar bezahlt«, antwortete ich in die Stille des Autos hinein. Ich blieb sitzen. Ich kannte das Procedere. Wann immer ich auf Geschäftsreise ging, buchte Linda mir einen ‚Flughafenbuddy'. Jochen und der ältere Herr kamen aus dem Eingang und liefen direkt auf den Maybach zu.

Jochen öffnete meine Tür und ich stieg aus. Meine Koffer wurden gerade vom Flughafenbuddy auf einen Rollwagen gehievt. „Herr Altres, Luggage Manager", stand in großer Schrift auf seinem Badge. *Manager? Wohl kaum,* dachte ich ungläubig. Ich bedankte mich bei Jochen, wünschte ihm drei erholsame Wochen, in denen ich ihm Urlaub eingeräumt hatte, und begann in Richtung der Gates zu laufen.

»Welches Gate, Bitteschön?«, fragte Herr Altres.

»Sieben. Lufthansa. First Class«, erwiderte ich.

Wir gingen schweigend durch den beinahe menschenleeren Flughafen bis zum passenden Gate. Die Schlange an Menschen vor dem Check-in hielt sich in Grenzen, wir liefen an an allen vorbei zum ‚First-Class'-Check-in. Nach der Überprüfung meiner Papiere und dem Wiegen der Koffer bekam ich meine Bordkarte. Die Dame am Check-in wies mit ihrer Hand in eine Richtung und verabschiedete sich freundlich: »Ich wünsche Ihnen einen angenehmen Flug, dort drüben ist Ihr Zugang zum Boarding.«

Ich bedankte mich und lief in die entsprechende Richtung. Vorbei an unzähligen Imbissbuden und kleinen Restaurants. Auf dem Weg sah ich einen Mann mittleren Alters an einem Stand für ‚Coffee-to-go'. »Das macht 6,90 Euro«, lächelte die Verkäuferin dem Mann zu.

Wie kann man für fast sieben Euro einen Kaffee kaufen? Dieser Mann wird niemals erfolgreich sein, dachte ich und postulierte zufrieden mein Credo: »Haben kommt von Halten.«

Nach dem erneuten Überprüfen meiner Personalien gelangte ich in den gesonderten Wartebereich. *Noch zwei Stunden bis zum Abflug,* dachte ich und setzte mich auf eine der Polsterbänke. Mein Handgepäck stellte ich zwischen meine Füße und holte meinen Laptop hervor. Die Wartezeit überbrückte ich mit dem Beantworten von E-Mails.

Der Flug verlief ohne besondere Vorkommnisse. Die mir zugeteilte Stewardess bediente mich höflich und sehr zuvorkommend. Dafür hatte ich schließlich auch 5.000 Euro pro Flug gezahlt, über die Firma wohlgemerkt.

Nach knapp zwölf Stunden hallte es durch die Lautsprecher: »Ladies and gentleman, please fasten your seatbelts and put your tray tables and seat backs in their upright position. We are approaching Bangkok International Airport.« Auf dem Display am Sitz vor mir leuchtete das Ziel „Bangkok-Suvarnabhumi".

Als einer der Ersten verließ ich das Flugzeug. Der erste Schritt auf die Treppe machte mir deutlich wo ich war.

Hitze. Eine Wand aus stehender Luft von gefühlt fünfundvierzig Grad Celsius kam auf mich zu. *Angenehm,* dachte ich und schlagartig bekam ich gute Laune. Die üblichen Sicherheitsstandards überwunden und mit meinen Koffern im Gepäck lief ich in Richtung der wartenden Taxis. Eine riesige, überdachte Halle und unzählige Fahrer, wartend auf Kundschaft. Es war richtig heiß. In Thailand ist es immer heiß, doch im April ist auch dort ‚Sommerzeit'. Das bedeutet, kein Regen, keine Abkühlung, nur Hitze. Mir fiel schnell auf, dass jedes Taxi ein Toyota Corolla war. Ich suchte nach einer mir bekannten Mercedes E-Klasse. Nachdem ich mir einen kurzen Überblick verschafft hatte und einmal mit meinen Koffern quer durch die riesige Halle gelaufen war, erkannte ich es als aussichtslos, einen Mercedes zu finden und blieb schwitzend vor einem violetten Toyota stehen. Wie bei allen anderen wartenden Autos auch lief der Motor. Ein junger Mann, bekleidet mit Leinenhose, einem weiten Karohemd und Sandalen stieg aus und lächelte mich an. »Wohin bitte fahren?«, fragte er sehr höflich und verbeugte sich leicht unterwürfig.

»Oakwood Suits Hotel Bangkok bitte«, erwiderte ich.

Mein Fahrer lud die Koffer vorsichtig in den Kofferraum und wir fuhren los.

Die erste Nacht in Thailand wollte ich in einem netten Hotel verbringen, um mich langsam an die neue Kultur zu gewöhnen. Die Fahrt zum Hotel ließ sich nur als abenteuerlich beschreiben. Im Taxi war es eiskalt. Der Fahrer war nicht angeschnallt, fuhr konstant deutlich zu schnell und wirkte sehr müde. Als ich endlich das Hotel sah, fiel mir ein Stein vom Herzen und ich schwor mir, hier kein Taxi mehr zu fahren.

IV

DER FAHRER PARKTE abrupt vor dem Haupteingang des Hotels. Aus dem Fenster sah ich in ein strahlendes Gesicht. »Sawadee krap«, strahlte der Page mich an und faltete seine Hände auf Brusthöhe zusammen, um mich leicht gebeugt willkommen zu heißen. *Sehr nett, wieso er wohl so gute Laune hat? So viel Geld kann er ja als Page nicht verdienen,* dachte ich und lief neben ihm und meinen Koffern auf einem Rollwagen zum Eingang. Aus den fünfundvierzig Grad Celsius Lufttemperatur wurden mit dem Betreten des Hotels schlagartig gefühlte zehn. Ich empfand die klimatisierte Luft als sehr angenehm.

Beim Check-in händigte mir eine junge, wunderschöne Thailänderin meine Zimmerkarte aus und strahlte übers ganze Gesicht, als sie mir in fast perfektem Deutsch einen wundervollen Aufenthalt wünschte.

Von dieser ersten Nacht in Bangkok blieb mir nicht viel zu erzählen, da ich den Luxus und das

Zuvorkommen der Menschen bereits aus meinem Alltag kannte. Was mir in Erinnerung blieb, waren die Menschen. Es fühlte sich an, als ob ich mit dem Flugzeug nicht nur Deutschland, sondern auch die deprimierte Grundhaltung der Menschen verlassen hatte. Seit meiner Landung auf dem Flughafen hatten mir unzählige, wildfremde Menschen zugelächelt. Einfach so. Ich konnte mir zu diesem Zeitpunkt nicht erklären, wie es sein konnte, dass so viele Menschen auf einmal scheinbar glücklich und zufrieden sein sollten.

Am nächsten Morgen klingelte mein Wecker um sechs Uhr. Ich spürte, wie mein Hals kratzte, da ich die Klimaanlage während der Nacht konstant hatte laufen lassen. Der obligatorische Blick auf mein Mobiltelefon zeigte mir keine neuen E-Mails, keine Anrufe und keine Nachrichten. *Habe ich hier keinen Empfang?*, fragte ich mich erschrocken und suchte auf dem Display hektisch die Balken, die mir die Signalstärke des WLANS anzeigten. Voller Empfang. »Ich habe doch alle Angestellten angewiesen, mir wie immer, Bericht zu erstatten, wie ist das möglich?«, wütete ich. Noch bevor ich ins Badezimmer ging, wählte ich Lindas Nummer. Keine Antwort. Ich spürte, die in mir aufsteigende Wut. Noch einmal. Erneut keine Antwort. *Das darf nicht wahr sein, ich bin einen Tag nicht in der Firma und schon geht alles schief. Ich hätte nicht fliegen dürfen,* war ich mir sicher.

Ich probierte es an diesem Morgen noch zwanzig mal. Das Ergebnis war immer dasselbe, wodurch ich mich in meiner Annahme bestätigt fühlte. Ich suchte online einen sofortigen Rückflug und beschloss, diesen beim Frühstück zu buchen. Hunger hatte ich nämlich und die thailändische Küche hatte ich schon immer als äußerst reizvoll empfunden.

Nach der morgendlichen Dusche zog ich meinen Anzug an und lief den Flur entlang zu den Aufzügen. Ich war verärgert. Der junge Thailänder in seiner schicken schwarz-roten Uniform, der seinen Posten am Aufzug einnahm, lächelte mir freundlich zu. »Guten Morgen, möchten Sie in die Lobby zum Frühstück?«, fragte er und verweilte in einer leicht gebeugten Haltung.

»Ja«, erwiderte ich schroff, mich fragend, warum auch er anscheinend so gut gelaunt war.

Die Fahrstuhltür öffnete sich im Erdgeschoss und ich lief in Richtung des Restaurants. Über der Rezeption entdeckte ich etwas, was mir augenblicklich den Atem stocken ließ. Dort hingen eng gestaffelt fünf große Analoguhren nebeneinander. Über der ersten Uhr schwebte der Schriftzug: „Bangkok". Und sie stand auf 6:43 Uhr. Die zweite Uhr mit dem Schriftzug „Berlin" zeigte 1:43 Uhr.

Ich blieb entsetzt stehen und starrte auf die Zeiger. Dann auf die Schriftzüge und zurück zu den Zeigern. *Ich habe Linda tatsächlich um 1:00 Uhr nachts zwanzigmal angerufen,* wurde es mir schlagartig bewusst. Ich bemerkte einen Anflug von Scham, nahm mein Mobiltelefon zur Hand und begann meiner – wahrscheinlich friedlich schlafenden – Assistentin eine Kurzmitteilung zu schreiben: „Guten Morgen Linda. Bitte entschuldigen Sie die Anrufe, ich hatte mein Telefon in der Hosentasche und muss aus Versehen angeklingelt haben". Gesendet. Gewissen erleichtert. *Bloß keine Schwäche zeigen, Andreas,* sagte ich mir. Ich hatte nun noch eine knappe Stunde Zeit zu frühstücken. Danach – so der Plan – würde mich ein Bus samt meiner Habseligkeiten am Hotel abholen und in den Süden Thailands bis nach Surat Thani fahren.

Das Frühstück war vorzüglich. Satt, aber immer noch sehr besorgt um meine Firma stand ich um 7:55 Uhr vor dem Hotel und hielt Ausschau nach dem Bus. Es war für die Tageszeit sehr heiß. Der Himmel war bewölkt, doch man spürte die mächtige Energie der Sonne, die meinen Körper durchdrang. »Nichts zu sehen«, murmelte ich leicht verdutzt. Linda hatte es mir detailliert notiert und zur Sicherheit noch einmal per E-Mail gesendet. Ich zog mein Handy aus der Anzughose und las erneut meine Notizen. „Abfahrt um 8:00 Uhr vom Hotel mit ‚Sun-Liner'- Reisen, Ankunft ca. 16:45 Uhr in Surat Thani." *Hm, da lobe ich mir die deutsche Pünktlichkeit,* sinnierte ich. Ich war in meinem Leben noch nie zu spät gewesen. *Es ist respektlos der Person gegenüber, die wartet,* ging es mir mit fester Überzeugung durch den Kopf.

Siebzehn Minuten später fuhr ein kleiner Reisebus mit der Aufschrift „Sun-Liner" die Einfahrt des Hotels hoch.

Ich war entsetzt, dass ich in diesem Gefährt einen halben Tag zubringen sollte. Der Bus hielt vor meinen Füßen und mit einem Blick auf die Türschwelle fragte ich mich, wie es in einem derart heißen Land so viel Rost an einem einzigen Fahrzeug geben konnte. Der Fahrer, ein etwa fünfundzwanzig Jahre alter Thailänder, kam auf mich zu und fragte lächelnd: »Sie Süden?«

»Surat Thani«, erwiderte ich sichtlich genervt vom Zustand des Autos. »Kann dieses Auto wirklich noch fahren? Hat es noch TÜV?«, fragte ich skeptisch, während meine Hände in der Luft die Bewegungen eines Lenkrads nachahmten.

»Ja, diese Auto super, immer gut fahren«, antwortete der Fahrer und lud mein Gepäck lächelnd mit einem Schwung in den Kofferraum. Er öffnete die Schiebetür und ich sah, dass ich die Fahrt mit drei anderen Personen verbringen würde. In der letzten Sitzreihe saß ein Pärchen, augenscheinlich europäisch. Er umarmte sie, während sie ihren Kopf auf seiner Schulter abgelegt hatte und schlief. *Wie süß.* Ich war verwundert über meine Gedanken, hatte ich doch nach meiner Scheidung jegliche Art von Beziehung als unnötige Zeit- und Energieverschwendung angesehen.

Die mittlere Reihe belegte eine junge, farbige Frau. Auch sie schlief mit den Händen im Schoß und dem Kopf gegen das Fenster gelehnt.

Ich setzte mich in die vorderste Sitzreihe in die Mitte und kam mir in meinem Designeranzug ziemlich fehl am Platz vor. Der Innenraum des Gefährts war alt, die Sitze löchrig und durchgesessen, an der Rückseite des Fahrersitzes hing ein Stofffetzen herunter und die Frontscheibe hatte einen großen diagonalen Riss. Mir war ziemlich mulmig zumute. Durch die beiden Vordersitze konnte ich das Namensschild des Fahrers erkennen. Neben seinem Bild, auf dem er strahlend lächelte, stand ein Name in thailändischer Schrift.

Der Bus setzte sich quietschend und klappernd in Bewegung. *Wie konnte Linda mir das nur antun,* schoss es mir durch den Kopf und ich spürte Wut in mir aufsteigen. Ich saß die ersten zwei Stunden gebannt, aufrecht und aufmerksam auf meinem Platz und beobachtete unseren Fahrer, das Auto und die Umgebung. Der Verkehr in der Millionenstadt Bangkok war für deutsche Gemüter nur schwer zu verkraften. Achtspurige Fahrbahnen. Kleine Roller, auf denen teilweise mehr als drei Personen versuchten, sich an allen vorbeizuschlängeln, um im stockenden Verkehr schneller voranzukommen. Eine Flut an Autos, zumeist Toyotas, mischte sich mit scheinbar selbstgebauten Pickups, Touristenbussen und Vierzigtonnern. Das leicht geöffnete Fenster in unserem Bus ließ die schwüle Hitze gepaart mit der unfassbaren Lautstärke der hupenden Verkehrsteilnehmer hinein.

Sobald eine Ampel auf Grün sprang wurde die achtspurige Fahrbahn urplötzlich zu einer dreispurigen und der Gegenverkehr stand plötzlich hupend, direkt vor unserem Bus. Immer noch lächelnd suchte unser Fahrer eine Lücke auf der rechten Spur, um den wartenden Gegenverkehr vorbei zu lassen. Mein Blick fiel in die unzähligen Autos. Und es war mir unbegreiflich: Die Leute lächelten selbst beim Hupen.

Nach einiger Zeit verließen wir die Großstadt und die Straßen wurden ebenso kleiner wie unebener. Regelmäßig ließ mich eine Bodenwelle im Bus bis knapp unter das Dach abheben. Unser Fahrer dachte aber nicht daran, die Geschwindigkeit dementsprechend anzupassen. Ich suchte verzweifelt nach einem Anschnallgurt – es war keiner vorhanden. »Sowas würde es bei uns nicht geben«, kommentierte ich die Situation leise mit einer Mischung aus Wut und Angst.

Je weiter wir in Richtung Süden fuhren, desto einsamer wurde die Umgebung. Große Palmen und hohes Gras prägten die Landschaft. Am Straßenrand liefen ab und an Einheimische mit traditionellen Gewändern und trugen Einkäufe. Mutterseelenallein stand ein Elefant in einer kleiner Einbuchtung unter einem Baum und aß genügsam einige Blätter eines Baumes. »Kratom«, rief der Fahrer uns zu und deutete auf den genüsslich fressenden Elefanten. »Wie Kokain und Marihuana zusammen, wächst hier überall«, ergänzte er lachend.

Wo war ich hier nur gelandet?, dachte ich. Ein nicht verkehrstüchtiges Fahrzeug, augenscheinlich keine Regeln im Straßenverkehr und Drogen konsumierende Elefanten. Ein wenig lustig fand ich den Gedanken schon, war es doch der komplette Gegensatz zu meinem Leben.

Meine Rolex zeigte 12:00 Uhr. Ich war hungrig und musste langsam dringend das stille Örtchen aufsuchen.

Scheinbar der Telepathie mächtig lenkte unser Fahrer den klapprigen Bus auf eine Fläche, die eine Art Rastplatz sein musste. Es war ein großer, betonierter Platz mit einem überdachten Bereich, aber an den Seiten offen. Dort standen unzählige Tische und Stühle. Im Hintergrund sah ich eine Art Küche, in der drei junge Damen in riesigen Töpfen kochten. Außer uns war niemand da. *Das hätte ich effektiver gestaltet,* dachte ich und war froh, endlich die Toilette aufsuchen zu können. Die anderen drei im Bus, schliefen mittlerweile alle und der Fahrer machte keine Anstalten, sie zu wecken. Wir aßen traditionelle, einheimische Küche und ich musste zugeben, dass ich diese als wesentlich leckerer empfand als die Kost, die ich im Hotel zu mir genommen hatte. Während des Essens fragte ich unseren Fahrer, wie lange er den Job schon machte.

»Mein ganzes Leben«, sagte er sichtlich stolz. Ich war verwundert, wie er damit zufrieden und augenscheinlich glücklich sein konnte.

»Haben Sie Familie?«, fragte ich weiter.

»Ja, viele Familie«, lächelte er und holte ein Foto hervor, um es mir zu zeigen. Darauf knieten geschätzt dreißig Personen nebeneinander vor einem großen Haus aus Holz. Sie hielten sich an den Händen. Im Vordergrund stand ein Mönch, der ein orangenes Gewand trug und eine große goldfarbene Schüssel in den Händen hielt.

»Wow. Das sind viele Menschen. Der Mönch gehört auch zu deiner Familie?«, fragte ich erstaunt.

»Nein Long-Pi kommt holen Essen«, antwortete er.

Sollte ich bei den Mönchen für mein Essen tatsächlich auch erst wandern gehen müssen?, überlegte ich mit einem Anflug von Ungewissheit.

»Mönche nicht kochen selbst, dürfen nicht. Menschen spenden. Gin Kao«, legte unser Fahrer nach und sah meine Verwunderung.

»Gin Kao?«, fragte ich und legte meine Stirn verdutzt in Falten.

»Hier, diese. Reis«, lachte er laut und zeigte auf unsere Teller.

Mit Reis könnte ich mich anfreunden, dachte ich und fragte dann: »Was ist, wenn keiner an dem Tag Reis gekocht hat für die Mönche?«

»Ah, keine Sorge, Mister, jeder kocht, gute Karma«, strahlte er und faltete die Hände vor seiner Brust. »Sie besuchen Tempel und Mönch?«, lachte er und ich konnte den amüsierten Blick, mit dem er meine Kleidung bedachte, förmlich spüren. »Besser nicht anziehen«, sagte er auf mein Sakko zeigend und fügte hinzu: »Surat Thani Tempel auf Berg, viel Wald, Erde und viel sitzen.«

Na toll, dachte ich und nickte ihm mit einem gezwungenen Lächeln zu. *Ich hoffe, Marta hat was Normales eingepackt,* ging es mir leicht verunsichert durch den Kopf.

Gestärkt und erleichtert, aber auch voller Anspannung setzten wir die Fahrt fort.

»Hallo, wo kommen Sie her?« Eine helle und hohe Stimme riss mich aus meinen Gedanken. »Ich heiße Isabel und komme aus Paris«, meinte die farbige Frau hinter mir lächelnd und streckte mir ihre Hand über den Sitz entgegen.

»Herr Berger, aus Deutschland«, antwortete ich und spürte ihr weiche und warme Haut beim Berühren ihrer Hand.

»Sie sind geschäftlich hier?«, fragte sie und deutete auf meine lederne Aktentasche, die ich als Handgepäck bei mir hatte.

»Schön wär's«, antwortete ich, erfreut darüber, dass endlich mal jemand mit mir übers Geschäft reden wollte.

»Ich habe Urlaub und besuche einen Tempel im Süden, auf einem Berg. Drei Wochen lang«, erwiderte ich ironisch, den Anschein erweckend, dass ich für so etwas eigentlich keine Zeit hatte.

»Sie werden es lieben, Herr Berger. Ich fahre seit vier Jahren jedes Jahr für einen Monat in einen Tempel etwas weiter im Westen und lebe als Nonne auf Zeit«, strahlte sie, sichtlich erfreut, dass ich diese Erfahrung auch machen würde.

Ich drehte mich nun ganz herum und bemerkte, wie sehr sie mir gefiel. Isabel hatte langes, schwarzes Haar, das leicht gewellt auf ihre Schulter fiel. Sie trug ein luftiges Kleid mit buntem, floralem Muster, das viel von ihrer makellosen, dunklen Haut zeigte. Ich schätzte sie auf etwa fünfunddreißig Jahre, knapp zwanzig Jahre jünger als ich. Ein tiefer Ausschnitt und ein breites Lächeln führten bei mir zu starken Lustgefühlen. Es war lange her, dass ich eine Frau ausgeführt hatte. Seit der Scheidung von meiner Frau hatte ich mich ausschließlich auf die Firma konzentriert und sie zu einer der größten weltweit aufgebaut. »Andreas«, stellte ich mich nun nochmals vor und streckte ihr meine Hand entgegen.

»Freut mich sehr, Andreas«, lächelte sie zurück.

»Kannst du mir mehr von dem Leben im Tempel erzählen?«, versuchte ich ein Gespräch zu beginnen.

Jedes Mal, wenn sie während des Erzählens ihre Augen in eine andere Richtung lenkte, schaute ich heimlich auf ihr wundervolles Gesicht und ihren perfekten Körper.

»Es ist wie in einer anderen Welt, du kommst los von deinem Alltag, von dem Stress und von dem Lärm. Du tauchst ein in eine andere, fremde Kultur und lernst, was diese Menschen für Ziele in ihrem Leben haben. Ich kann es dir aber nur zum Teil erklären. Wenn du es nicht selbst erlebt hast, wirst du das tiefe Verständnis dafür nicht aufbringen können«, versicherte Isabel immer noch lächelnd.

»Das klingt echt interessant«, antwortete ich und hoffte, dass sie nicht heraushörte, dass ich nur halb zugehört hatte. Ich war fasziniert von Isabel. Keine Sekunde dachte ich, dass ich zu alt für sie sein könnte. Ich war schließlich Multimillionär und könnte ihr alles bieten, wovon sie immer geträumt hatte.

Rückblickend war das meine erste Lektion, die ich aber erst später begriff und verstand.

Isabel setzte zum nächsten Satz an, wurde dann aber durch unseren Fahrer unterbrochen: »Dreißig Minuten Bang Bai Mai.«

»Da steige ich aus«, bemerkte Isabel und verstaute ihr Buch in ihrer Umhängetasche aus Stoff, bedruckt mit vielen bunten Elefanten.

»Oh«, stieß ich hervor, lächelte sie an und drehte mich langsam wieder in Fahrtrichtung um. Ich öffnete die kleine Tasche an der Vorderseite meiner Aktentasche und fischte eine Visitenkarte und meinen Montblanc Kugelschreiber heraus. „Meld dich bei mir" schrieb ich in meiner typischen, unleserlichen Schrift auf die Rückseite neben mein Firmenlogo. Ich nahm die Karte in die Hand und wollte mich gerade umdrehen, da fiel mein Blick aus dem Fenster auf einen Flughafen – Surat Thani International Airport. *Hier gibt es einen Flughafen? Ernsthaft? Und du lässt mich fast neun Stunden in einem maroden Bus durch die Hitze fahren?*, verfluchte ich Linda. Ich spürte, wie mein Hemd unter meinem Sakko nass geschwitzt war. *Unglaublich sowas. Was soll das?*, wütete ich innerlich und schaute auf die Visitenkarte in meiner Hand. *Vielleicht deswegen? Nein, das konnte sie ja nicht wissen, grübelte ich etwas weniger verärgert.*

»Isabel, ich würde mich freuen, von dir zu hören.« Ich reichte ihr die Visitenkarte und versuchte möglichst sympathisch zu lächeln.

Isabel sah die Karte, nahm sie in die Hand und las meine handschriftliche Notiz. Sie lachte laut und sagte: »Das ist ja süß, Andreas. Das mache ich. Aber erst, wenn ich wieder in Paris bin«, zwinkerte sie mir zu.

»Wie meinst du das?«, fragte ich verdutzt.

»Wenn du im Tempel bist, wirst auch du dein Telefon ausschalten müssen. Aber glaub mir du wirst es auch wollen«, kommentierte sie die mir ins Gesicht geschriebene Mischung aus Skepsis und Panik.

Ich lächelte sie an und dachte: *Ganz sicher nicht, ich habe eine Firma zu leiten, davon verstehen diese Mönche wahrscheinlich nichts, aber das werde ich denen schon beibringen.* Wie sehr ich mich mit dieser Aussage irrte, sollte mir bald bewusst werden.

Ich spürte meinen Puls deutlich am Hals und bemerkte, wie schnell mein Herz schlug. Die Hitze, die Spannung wegen Isabel und die Aufregung bezüglich meines Handys setzten mir zu. Ich erinnerte mich an die Worte meines Arztes. Ich sollte dringend ein paar Kilos abnehmen, mich gesünder ernähren und mehr bewegen, sonst würde ein Herzinfarkt die Folge sein. Ich hatte diese Worte immer als wohl gemeinten Ratschlag abgetan, den mein Arzt aufgrund seines hippokratischen Eids jedem Patienten mitgeben musste. Doch aufgrund dieser jungen und augenscheinlich gesunden Schönheit hinter mir fasste ich in diesem Moment den Entschluss, den Worten meines Arztes Folge zu leisten. Ich versuchte mich zu beruhigen und atmete langsam ein und aus.

Nach einigen Minuten stoppte unser Fahrer den Reisebus an einer kleinen Einbuchtung. »Bang Bai Mai«, rief er enthusiastisch und hüpfte aus dem Auto, um den Kofferraum an der Unterseite des Busses zu öffnen.

Ich stieg aus und mich traf die volle Wucht der thailändischen Nachmittagssonne. Mit zugekniffenen Augen legte ich den Hebel am Sitz um, der daraufhin nach vorne klappte, und ermöglichte Isabel den Ausstieg. Als sie gebückt an mir vorbei ins Freie kletterte, bemerkte ich ihren Duft. Intensive Vanille und ein Hauch von Rose stiegen mir in die Nase. Ich liebte diesen Duft.

Unser Fahrer stellte ihren kleinen Koffer an die Straßenseite und verabschiedete sich mit dem Wai, dem traditionellen Gruß, bei dem man die Handflächen aneinander legt und eine leichte Verbeugung vollführt, bei ihr. Isabel erwiderte den Gruß und wandte sich dann zu mir. »Andreas, ich wünsche dir ganz viel Spaß, Erholung und vor allem Erkenntnis. Ich melde mich bei dir und dann erzählst du mir von deinen Erfahrungen. Einverstanden?«, lächelte sie mich an.

»Natürlich, das wünsche ich dir auch, Isabel.« Ich streckte meine Arme vom Körper nach vorne aus, um eine Umarmung anzudeuten. Isabel lief auf mich zu und wir umarmten uns für einige Sekunden. Dann nahm sie ihren Koffer und lief entschlossen in Richtung des kleinen Dorfes. *Sagte sie nicht, sie würde vier Wochen bleiben? Mit so wenig Gepäck?*, dachte ich verwundert, klappte die Lehne zurück und stieg wieder in den Bus.

Das Pärchen in der hinteren Sitzreihe hörte anscheinend Musik über Kopfhörer und beachtete mich nicht weiter.

Klappernd setzten wir unsere Fahrt fort. *Was ist mit Linda? Wie läuft meine Firma? Jetzt sollten ja alle wach und bei der Arbeit sein,* erinnerte ich mich plötzlich und löste meinen Blick von der wunderschönen Landschaft. Ich zückte mein Handy. „Eine neue Nachricht" stand auf dem Display. „Vor drei Stunden" war in kleinerer Schrift darunter zu lesen. Ich hatte tatsächlich vergessen, auf mein Handy zu schauen. *Das gibt es doch garnicht,* dachte ich verwundert und tippte mit dem Finger auf die Nachricht: „Hallo Andreas, kein Problem. Hier läuft alles wie gewohnt, keine Krankmeldungen und einige neue Aufträge. Ich habe sie Ihnen via E-Mail gesendet. Ich hoffe Sie sind gut angekommen und alles verläuft zu Ihrer Zufriedenheit. VG Linda". Ich tippte auf „Antworten" und begann zu schreiben: „Hallo Linda, das freut mich zu hören. Ich sehe es mir sofort an. Übrigens, wieso haben Sie mir nichts von dem Flughafen gesagt, der..." Ich hielt kurz inne und löschte die letzten Worte, als ich mich an Isabel und unsere tolle Begegnung erinnerte.

In meinen E-Mails fand ich drei Auftragsbestätigungen, die insgesamt einen hohen sechsstelligen Gewinn abwerfen würden. *Scheint ja zu laufen,* dachte ich zufrieden.

Nach weiteren zwanzig Minuten – es war nun 17:00 Uhr Ortszeit – bog unser Fahrer von der Straße auf einen kleinen, halbgeteerten Weg ab. Dieser wurde nach ungefähr zwei Kilometern zu einem Waldweg mit Schotter und Steinen. Der Reisebus ächzte klappernd die enorme Steigung hinauf. Auf einer Anhöhe umgeben von dichtem Wald bestehend aus Palmen und riesigen Gräsern stoppte er.

»Surat Thani«, rief unser Fahrer und ich sah ihm an, dass die lange Fahrt auch ihn geschafft hatte. Ich blickte aus dem Fenster nach links. Wald. Dasselbe Bild bot sich mir in den drei anderen Himmelsrichtungen. Der Fahrer war bereits aus dem Bus gesprungen und stand mit meinen Koffern vor der Schiebetür. »Sie angekommen Mister«, lächelte er mich an.

Perplex stieg ich aus und stand inmitten eines nicht enden wollenden Waldes. Einzig ein kleines Café hatte ich auf dem Weg hinauf gesehen. »Wo ist denn der Tempel?«, fragte ich und deutete hilflos mit den Händen in alle Richtungen.

»Sie laufen da lang, zwanzig Minuten kein Problem«, lächelte er freundlich und zeigte auf einen schmalen Pfad, nicht breiter als mein Rollkoffer.

»Mit dem Gepäck? Wie soll das gehen? Gibt es hier kein Taxi?«, fragte ich gereizt und deutete auf meine drei vollbepackten Koffer.

Der Fahrer lachte: »Hier nicht Auto fahren. Bisschen laufen ist gut«, antwortete er höflich und stapelte zwei meiner Koffer übereinander. Den dritten gab er mir in die Hand und deutete an, ich solle ihn über die Schulter werfen und mit einer Hand festhalten. Er verabschiedete sich auch von mir mit dem Wai und stieg wieder in den Bus.

Verdutzt stand ich mit meinem Designeranzug mitten im Wald, einen Koffer über der Schulter und zwei Rollkoffer neben mir auf dem Waldboden. Der Bus drehte und passierte mich ein letztes Mal. Der Fahrer lachte freundlich und winkte mir zu. Das Pärchen auf der hinteren Sitzreihe sah mich mit einem Blick an, der so viel sagte wie: »Der wäre wohl lieber im Fünf-Sterne-Hotel«.

Ja, allerdings.

Ich schaute mich um. Es war immer noch drückend heiß. Die Kronen der Bäume hielten zwar das Sonnenlicht fern, doch die Hitze drang dennoch durch sie hindurch. Die Sicht in alle Richtungen betrug ungefähr zwanzig Meter, danach übernahm das Dickicht die Kontrolle.

Etwas verängstigt kontrollierte ich, ob mein Handy und meine anderen Utensilien noch da waren. Alles war da, stellte ich erleichtert fest.

Der Bus war nicht mehr zu sehen. *Hier wird es wohl kein Fundbüro geben,* überlegte ich mit einem Anflug von Sarkasmus und hielt mein Handy straff in der Hand. „Suche Netz“ stand auf dem Display. Unter dem dichten Kronendach mitten im Nirgendwo war das für mich keine Überraschung.

Müde, verschwitzt und sichtlich mitgenommen von der langen Fahrt begann ich den kleinen Trampelpfad entlangzulaufen. Die Rollen an meinem Koffer waren so nutzlos wie Skier im Sommer. Bei jedem Schritt verhakten sie sich im unebenen Boden oder blockierten komplett. »So eine Scheiße hier, ehrlich. Ich hab jetzt schon keine Lust mehr«, wütete ich laut in den Wald hinein, überzeugt, dass mich niemand hören würde. Hätte man mir vor zwei Jahren gesagt, dass ich mal schwitzend und übermüdet ohne Empfang mitten im Nirgendwo einen Rollkoffer über Geröll ziehen würde, hätte ich denjenigen für verrückt erklärt. Aber nun war es so. Ich musste weiter. Nach zehn Minuten schaute ich auf meine Rolex und überlegte, wann in Thailand wohl die Sonne untergeht. Ich wusste, dass es aufgrund der Nähe zum Äquator wohl wenig saisonale Unterschiede in den Zeiten geben würde. *Komm schon Andreas, der Fahrer meinte zwanzig Minuten, du hast es gleich geschafft,* sprach ich mir selbst Mut zu. Der Trampelpfad war zum Glück von Menschen angelegt und offensichtlich häufig betreten worden. An den Seiten des schmalen Pfades wucherte der üppige Regenwald.

Meine Gedanken kreisten um giftige Tiere, um den Film „Cast Away" mit Tom Hanks und um mein größer werdendes Hungergefühl. Ich fluchte über meinen Rollkoffer, der mit jedem Schritt schwerer zu ziehen war, über die unzähligen Mücken, die sekündlich in meinem Nacken landeten, und über die brutale Hitze, die in meinem Anzug kaum zu ertragen war. *Hoffentlich hat Marta mir passende Kleidung eingepackt,* dachte ich und erblickte im nächsten Moment ein Schild in einiger Entfernung. Ich näherte mich, so schnell es vollbepackt auf diesem ungnädigen Untergrund eben ging.

Das Schild bestand aus dunklem Holz und war mit zwei Nägeln an einem großen Baum befestigt worden. Die Aufschrift war in Thailändisch und an beiden Enden zeigte ein Pfeil in die jeweils entgegengesetzte Richtung.

»Super. Woher soll ich jetzt wissen, wo ich entlang laufen muss?«, fluchte ich laut in den Wald. Ich zog mein Handy aus meiner Anzughose und suchte in den von Linda gemachten Notizen nach einem Hinweis. »Nichts steht hier. Gar nichts! 16:45 Uhr Ankunft. Wir haben 17:37 Uhr und ich stehe mitten im Wald, verdammt nochmal!« Ich war außer mir. Kein Empfang, keinen blassen Schimmer, wo ich hinlaufen sollte, und vor allem keine Lust mehr.

»Dann schlafe ich halt im Wald, unfassbar!«, fluchte ich beinahe resignierend und lief schlussendlich rechts herum. Der Pfad sah deutlich breiter und einladender aus, als der linke.

»Von wegen zwanzig Minuten«, murmelte ich und stampfte wütend durch den Wald. Meine

Schuhe waren von dem rotbraunen Sand eingefärbt und mein Hemd war durch den Schweiß zerknittert. Ich blieb einen Moment stehen und hielt inne. Ich sah einige kleine Äffchen in den Baumkronen und auf den Palmen umherspringen. Eine Unmenge an Vögeln stimmte einen Gesang nach dem anderen an. Die Luftfeuchtigkeit war unerträglich. Langsam und demotiviert zog ich an dem Haltegriff meines Rollkoffers und setzte meinen Weg stöhnend fort. Nach weiteren zehn Minuten sah ich endlich Licht am Ende des Waldes. Es ging scheinbar auf eine Lichtung zu, die sich etwa dreihundert Meter vor mir eröffnete. Ich war gespannt und erleichtert darüber, dass sich das monotone Bild des Regenwaldes nun änderte. Die Schmerzen in meinen Beinen, meinen Armen und meiner Schulter waren wie weggeblasen. Ich lief einfach, ohne daran zu denken, wie unwohl ich mich eigentlich fühlen sollte.

Langsam wurde das Bild klarer und ich entdeckte eine große Säule, die goldfarben in der Sonne schimmerte. Daneben noch eine Säule auf derselben Höhe. In ihrer Mitte führte eine steinerne Treppe hinauf in ein Gebäude. Ich war angekommen.

Am Fuße der Treppe stellte ich die Koffer ab, streckte mich und blickte glücklich auf die riesige Tempelanlage mitten im Wald. Es war beeindruckend. Ich verglich die Szene mit meinem ersten Besuch bei den Pyramiden in Ägypten.

Noch immer vor der Treppe stehend wartete ich auf ein Zeichen. Ein Geräusch, Menschen, irgendetwas. Aber dort war nur Stille, die lediglich von den Geräuschen des Regenwaldes unterbrochen wurde.

Ich sah auf meine Uhr. Es war fast 18:00 Uhr. Ich war fast eine Dreiviertelstunde durch den Regenwald gelaufen. Ich blickte auf mein Handy: „Suche Netz". In der Hoffnung, im Tempel besseren Empfang oder zumindest eine stabile WLAN-Verbindung zu haben, packte ich meine Koffer und begann die Stufen emporzulaufen. Auf der nächsten Ebene sah ich das Dach des Tempels, ungefähr dreißig Meter hoch. Es war dunkelrot mit vielen Ornamenten und lief in der Mitte spitz zu. Oben angekommen sah ich einen großen Eingang. Der Boden war mit einfachen, dunklen Steinplatten ausgelegt. Über dem Eingang in den Tempel war eine Buddhafigur befestigt, die majestätisch über denjenigen thronte, die ihren Weg hinein fanden. Es gab keine Tür. Ich war verdutzt und fragte mich, wo ich meine Koffer einschließen konnte, wenn hier scheinbar sogar die Eingangstür offenstand. Mein Blick fiel ins Innere des Tempels. Es war sehr dunkel, scheinbar waren alle Fenster geschlossen oder mit Vorhängen abgedunkelt. Ich machte vorsichtig einen Schritt in den Tempel und entdeckte am hinteren Ende eine riesige, goldene Buddhafigur, die fast bis unter die etwa zwanzig Meter hohe Decke reichte. Davor lagen auf dem Boden einige dünne, rote Sitzkissen. Niemand war da. Es war still und etwas unheimlich.

Langsam lief ich in den Tempel hinein. Das einzige Geräusch in dieser Stille waren die Rollen meines Koffers, die anders als auf dem Waldboden nun leicht und flüssig vorwärts rollten. Ich suchte eine Art Rezeption oder Empfang, konnte aber nichts entdecken. Ich blieb stehen. Aus der hinteren Ecke nahm ich aus dem Augenwinkel eine Bewegung wahr. Langsamen Schrittes kam eine Person auf mich zu. Ich sah die orangene Robe und einen roten, schmalen Stoffumhang, der unter der Achsel auf den Rücken lief und auf Hüfthöhe vorne wieder herauskam.

Das muss wohl ein Mönch sein. Ich hoffe, der kann mir hier weiterhelfen, dachte ich und musste mir das Bild vorstellen, das sich dem Mönch wohl gerade offenbarte. Ein Mann mittleren Alters im Designeranzug, schwitzend und sichtlich erschöpft vom langen Fußmarsch, steht mit drei vollgepackten Luxuskoffern inmitten der Eingangshalle eines buddhistischen Tempels. Das war sie also, die erste Begegnung mit ‚meinem' Mönch.

V

ER KAM AUF mich zu. Langsam und behutsam. Der Blick geradeaus auf mich gerichtet. Ich blickte in blaugraue Augen, die eine enorme Ruhe ausstrahlten. Er war vielleicht in den Vierzigern, von schlanker Statur und erschien mir irgendwie mächtig, obwohl er nur ungefähr einen Meter siebzig groß war. Seine Hände waren irgendwo in seinem Gewand versteckt, ich sah sie nicht. Er trug keine Schuhe und bewegte sich fast lautlos auf mich zu.

Ich konnte seinem Gesicht keine Emotionen entnehmen. Seltsamerweise fühlte ich mich gleichermaßen unbehaglich und gut aufgehoben. Es war ein überwältigendes Gefühl. Ich stand inmitten der dunklen Empfangshalle des Tempels und begegnete dem Mönch, der mich in der kommenden Zeit lehren und begleiten sollte.

Etwa zwei Meter vor mir stoppte er. Er machte keine Anstalten, mich zu begrüßen, weder per

Handschlag noch mit dem traditionellen Wai. Ich hatte das dringliche Gefühl, etwas sagen zu müssen.

»Hallo mein Name ist Andreas Berger. Ich bin für drei Wochen im Tempel, bin ich hier richtig?«, fragte ich vorsichtig und leise. Ich war sichtlich beeindruckt von seiner Erscheinung. Dieses Gefühl hatte ich schon lange nicht mehr so intensiv erlebt.

»Wer weiß«, antwortete er.

Ich war einerseits überaus verdutzt, dass er meine Sprache beherrschte, und andererseits empfand ich die Antwort als nicht sehr befriedigend. Er kommentierte weder meinen Designeranzug noch meine drei Reisekoffer.

»Bitte«, sagte er freundlich, machte auf dem Absatz kehrt und bedeutete mir ohne Worte oder Gesten, dass ich ihm folgen solle.

Ich folgte ihm durch den Eingangsbereich des Tempels zur hinteren rechten Ecke. Dabei hatte ich Mühe, so langsam zu laufen wie er. Die nun folgende Halle war ebenfalls nur durch einen Durchgang ohne Tür von der vorherigen getrennt. Dort war es sehr dunkel, die vier Fenster auf der rechten Seite waren durch schwere Vorhänge bedeckt. Davor stand eine hölzerne Bank ohne Rückenlehne, die ihre besten Zeiten wohl bereits hinter sich hatte. An der Wand gegenüber hingen Fahnen. Die thailändische Fahne, daneben die deutsche und daneben eine gelbe Fahne mit einem Rad in der Mitte.

Der Mönch lief langsamen Schrittes zu einer Tür am Ende der ungefähr vierzig Quadratmeter großen Halle. Davor blieb er stehen und sagte: »Ihr Platz. Ich komme

gleich wieder.« Dann lief er langsam durch einen Durchgang in einen anderen Bereich des Tempels.

Ich öffnete die Tür zu meinem Zimmer. Darin stand auf der linken Seite ein Bett mit einer weißen Matratze, die maximal fünf Zentimeter dick war. Ordentlich gefaltet lag darauf eine braune Wolldecke. Ein winziges Kopfkissen lag faltenfrei am Ende des Bettes. Die Mitte des Raumes nahm ein kleiner Holztisch mit Stuhl ein, den ich so ähnlich noch aus meiner Schulzeit kannte. In der rechten Ecke lag ein kleines Tuch gefaltet auf dem Boden. Darüber, ganz knapp unter der Decke, ein Regal, auf dem sich mehrere Buddhafiguren in goldener Farbe befanden.

Wie soll man da rankommen?, dachte ich mir und wusste nicht so recht, wie ich die damalige Situation beschreiben sollte. Ich war müde, wirklich erschöpft. Mein Zimmer glich einer billigen Jugendherberge, ich war hungrig und musste dringend auf die Toilette.

Ich stellte meine Koffer in die einzige Ecke, die nicht belegt war und wandte mich dem Tisch zu. Darauf lag ein weißes Gewand, das abgesehen von der Farbe, dem des Mönches glich. Ich hob es an, um es näher zu betrachten. Darunter lagen zwei weitere Gewänder. Ebenfalls weiß.

Wieso weiß?, dachte ich und legte es zurück auf den Tisch. Auf dem Boden lagen offene Sandalen, die sehr abgenutzt wirkten. Ich öffnete die Schublade am Holztisch. Sie war leer. *Gibt es hier keinen Schlüssel?*, dachte ich verdutzt, in Sorge um meine Habseligkeiten. Ich ließ meine Koffer im Raum stehen und ging zurück in die Halle, in der Hoffnung, jemanden fragen zu können und etwas zu Essen zu bekommen. Gerade als ich die Türe hinter mir geschlossen hatte, stand ein junger Mann in weißem Gewand vor mir und lächelte mich an. »Gott sei Dank, können Sie mir helfen? Ich kann die Türe hier nicht abschließen und ich weiß nicht, wann es hier das Abendessen gibt«, fragte ich ihn, in der Annahme er spreche meine Sprache.

Er legte seinen Zeigefinger auf den Mund, hob warnend die Augenbrauen und bedeutete mir, leise zu sprechen. Mit einer Kopfbewegung deutete er auf meine Zimmertür. Ich verstand die Botschaft, öffnete die Tür und wir gingen zusammen hinein.

»Hier ist es besser. Wir sollten uns hier leise verhalten, die Mönche sehen es nicht gerne, wenn man laut spricht. Hallo, ich bin Julian«, begrüßte er mich freundlich und machte den Wai, »du solltest zuerst einmal dein Gewand anziehen, dann kann ich dir hier alles zeigen. Warst du schonmal hier?«, fragte er immer noch sehr leise sprechend.

»Nein, für mich ist es das erste Mal«, erwiderte ich. Ich zog mein Sakko aus und suchte einen Kleiderbügel oder einen Haken, um es aufzuhängen.

Julian lachte leise. »Sowas gibt es hier nicht, leg es einfach in deinen Koffer«, meinte er mit einer lässigen Handbewegung.

Na klar, du hast ja auch keinen Fünftausend-Euro-Anzug mein Freund. Leicht gesagt, dachte ich. Vor lauter Erschöpfung widersprach ich jedoch nicht und legte mein Sakko vorsichtig auf meinen Koffer.

Julian half mir das Gewand bestehend aus drei Teilen anzulegen. Es gab ein Untergewand, ein Gewand und ein Obergewand. *Fühlt sich sehr komisch an,* dachte ich und schaute an mir herunter. Mittlerweile wollte ich nur noch Essen, mich ins Bett legen und schauen, wie der Tag für meine Firma verlief. Ich zog mein Handy aus der Anzughose und sah, dass es immer noch kein Netz gefunden hatte.

Meine Aufregung spürend sagte Julian: »Hier bekommst du kein Netz, wir sind mitten im Wald. Du musst zum Café laufen, das sind ungefähr sieben Kilometer.« Er deutete mit seiner Hand in die entsprechende Richtung.

Ich fühlte, wie die Wut in mir hochstieg und gleich wieder nachließ, da sich meine Aufmerksamkeit der Tür widmete. Ich spürte, dass jemand davor stand. Vorsichtig ging ich darauf zu und öffnete. Der Mönch, der mich begrüßt hatte, musterte mich kurz und nickte. Daraufhin drehte er sich um und lief langsam durch den Durchgang in das nächste Zimmer.

Julian berührte mich kurz an der Schulter und gab mir zu verstehen, ihm zu folgen. Ich flüsterte ihm zu: »Wo sind denn hier die Toiletten?«

Julian sah mich an und antwortete: »Folge mir. Ich zeige es dir.«

Wir liefen hinaus in einen riesigen Garten mit unzähligen Palmen, grünem Gras und reichlich Sitzbänken. Auf einer kleinen Anhöhe aus Gras stand ein enormer Gong, mindestens zwei Meter hoch. Er war wunderschön, mit vielen Blumen und goldenen Ornamenten verziert.

Nach ungefähr fünfzig Metern stoppten wir vor einer kleinen Hütte aus Holz. Julians Blick deutend begab ich mich hinein.

Die Toilette war einfach ein Loch im Boden. Es gab nicht einmal eine Erhöhung, sodass man sein Geschäft in der Hocke verrichten musste.

Ich war schockiert, aber gleichzeitig war der Drang zu groß. Ich suchte nach Toilettenpapier und fand keins. Es gab nur ein großes Becken voller Wasser und eine kleine Kelle. Ich malte mir die verschiedensten Situationen aus, was ich damit wohl anstellen sollte. Vom Schöpfen mit der kleinen Kelle bis hin zum Ganzkörperbad eruierte ich meine Möglichkeiten. Keine davon konnte mich auch nur annähernd zufriedenstellen.

Ich hoffe, die haben hier einen Hausmeister, der bald frisches Papier bringt, dachte ich und war erleichtert, dass ich nur pinkeln musste.

Julian wartete vor der Tür und sah wohl meinen Blick der Verzweiflung und der Abscheu, als ich wieder herauskam. Er sagte nur lachend: »Du wirst dich dran gewöhnen.«

Wir liefen zurück in den Tempel bis zu einem weiteren riesigen Saal. Dieser war noch größer als die Empfangshalle und deutlich prunkvoller. Die Decken sowie die Wände waren mit Malereien aus feinem Gold bedeckt. Blumen, Elefanten und verschiedene Darstellungen des Buddha prägten den Saal. Im Zentrum stand eine Buddhafigur, die am oberen Ende scheinbar erst kurz vor der Decke endete. Ordentlich angeordnet davor lagen Sitzkissen, wie diejenigen, die ich aus der Empfangshalle kannte. Um die Kissen herum standen in einem Halbkreis etwa zehn Stühle, alle auf die Statue ausgerichtet.

Ich war von der Größe der Anlage äußerst beeindruckt. In der ersten Reihe vor der Statue sah ich fünf Mönche, die nebeneinander im Schneidersitz hockten. Ihre Gesichter konnte ich nicht erkennen, da wir den Raum von hinten betraten. Sie saßen dort ganz still und bewegten sich nicht. Der Mönch, der mich empfangen hatte, setzte sich auf den mittleren Platz, der etwas erhabener war, als der Platz der anderen. *Scheinbar der Anführer,* schmunzelte ich und musste unweigerlich an Julius Cäsar auf seinem Thron denken.

Zu diesem Zeitpunkt war mir nicht einmal bewusst, dass ich mich seit Stunden nicht mehr mit meiner Firma auseinandergesetzt hatte. Heute schreibe ich es der Anspannung und Nervosität, in der damals für mich neuen Situation zu.

Julian deutete mit dem Kopf auf die Sitzkissen und nahm Platz, indem er sich hinkniete und mit dem Gesäß auf den Fersen saß. Ich machte es ihm nach und spürte sofort einen stechenden Schmerz in meinen Knien. Julian sah dies, grinste und bewegte seine Hand sanft auf und ab, um mir zu signalisieren, es langsam angehen zu lassen. Ich streckte meine Beine daraufhin nach vorne aus. Das war deutlich angenehmer, doch Julian schüttelte ruhig, aber energisch den Kopf, was mir zu verstehen gab, dass ich irgendetwas falsch machte. Er flüsterte mir ins Ohr: »Die Füße dürfen nicht zum Buddha gerichtet sein.«

Peinlich berührt von meiner Unwissenheit setzte ich mich in einen Schneidersitz, der einigermaßen erträglich war. Julian legte seine Hände mit den Handflächen zusammen und hielt diese vor seine Brust.

Nicht wissend, wie ich mich zu verhalten hatte, machte ich es ihm nach. Die Mönche machten diese Geste nicht, sie hatten ihre Hände auf ihrem Schoß, aber unter dem Gewand. So saßen wir für gefühlt zwanzig Minuten, ohne ein Wort zu sprechen oder eine Übung auszuführen.

»Itipiso, bhagava, araham, samma, sammbuddho.« Das Oberhaupt der Mönche stimmte aus dem Nichts ein Gebet an. Alle sechs Mönche inklusive Julian führten ihre gefalteten Hände zur Stirn und stimmten in das Gebet ein. Ich kannte den Text nicht und beschränkte mich auf das Nachahmen der Bewegungen.

Nach langen zwanzig Minuten stoppten sie, verbeugten sich ein letztes Mal vor der großen Statue und standen auf. Rückwärts, den Blick nicht von der Statue abwendend, verließen sie den Raum. Julian und ich taten es ihnen gleich.

Dieser erste Tag endete für mich voller neuer Eindrücke und voller Ungewissheit. Ich fand an diesem Abend sehr schnell in den Schlaf.

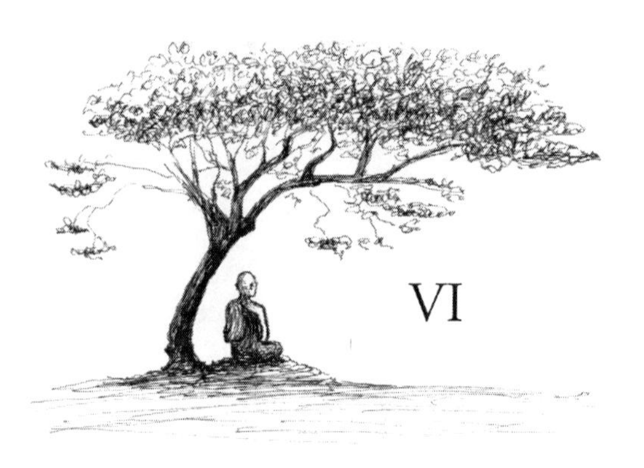

VI

DER ERSTE TAG im Tempel begann mit einem lauten, glockenähnlichen Geräusch. Ich saß sofort senkrecht im Bett. *Ich habe mir nicht einmal einen Wecker gestellt,* dachte ich, während ich langsam aufstand. Die kühlen Steinplatten unter meinen Füßen empfand ich als sehr angenehm. Durch das geschlossene Fenster konnte ich die unbändige Kraft der Sonne nahe des Äquators spüren. Ich nahm mein Handy vom Schreibtisch und stellte fest, dass der Akku leer war. Schnell steckte ich das Handy ans Ladegerät und war mit meinen Gedanken bei meiner Firma. *Steckdosen gibt es, aber keine Toilette?,* dachte ich verwirrt. *Ich muss heute in der Firma anrufen,* sagte ich zu mir. Ein anderes Gefühl durchbrach diese Gedanken. *Hunger,* stellte ich fest, zog mir mein weißes Gewand an und ging ins Vorzimmer. Niemand zu sehen. Ich lief in meinen Sandalen den Gang entlang bis in die große, dunkle Empfangshalle mit der Buddhafigur. Auf der anderen Seite vor einer Art Pinnwand sah ich Julian.

»Guten Morgen«, flüsterte ich ihm zu.

»Hallo Andreas, wie war deine erste Nacht?«, fragte er freundlich.

Ich lächelte. Ich fühlte mich ausgesprochen fit und ausgeruht. »Wo gibt es denn hier das Frühstück?«, fragte ich mit einem deutlich zu vernehmenden Knurren im Magen. Julian bemerkte dies, lachte und zeigte mir den Weg. Wir gingen durch die Empfangshalle zur hinteren Ecke und durchschritten einen weiteren Durchgang ohne Tür. Dort war jedoch nicht etwa das Buffet aufgebaut. Auf einem langen Holztisch standen in gleichmäßigen Abständen einige Schalen mit Deckel. Sie schimmerten goldfarben, waren aber wohl aus Stahl gefertigt.

»Pindabat«, sagte Julian und deutete auf die Schalen.

»Bitte was?«, erwiderte ich erstaunt.

»Das ist der morgendliche Almosengang nach dem Morgengebet. Die Mönche und wir als Novizen essen nur, was uns von der Nachbarschaft gespendet wird. Dies sind die Gefäße für die gespendete Nahrung.«

Welche Nachbarschaft?, fragte ich mich und dachte an den dicht bewachsenen Regenwald um uns herum. »Verstehe«, antwortete ich, zu hungrig für einen klaren Gedanken. »Dann laufe ich direkt zu diesem Café, um mal bei meiner Firma nachzuhorchen«, sagte ich erfreut über diese sich durch den bevorstehenden Spaziergang ergebende Gelegenheit.

»Ich denke, das ist keine gute Idee, Andreas. Wir haben hier einen strikten Tagesplan und ich möchte dir noch etwas zeigen, was ich heute Morgen entdeckt habe«, sagte Julian. Er tippte mir mit seiner Hand auf meine Schulter und lief den Weg zurück zur Empfangshalle.

Ich folgte ihm. Zu diesem Zeitpunkt wollte ich einfach nur davonlaufen, wieder in den klapprigen Bus einsteigen und einen Flug zurück in die Heimat nehmen.

Ich muss irgendwie in der Firma anrufen, oder zumindest eine Nachricht schreiben. Auch die E-Mails habe ich nicht beantwortet. Was ist, wenn meine Kompetenz gerade jetzt gefragt ist? Ich war außer mir, ließ es mir vor Julian aber nicht anmerken.

Er stoppte an der Wand, wo ich ihn zuvor entdeckt hatte. »Schau mal Andreas«, flüsterte er und deutete mit dem Finger auf die Tafel. Mit weißer Kreide stand dort auf dunklem Untergrund: »Andreas Berger – Lama«.

Ich verstand nur Bahnhof. »Was soll das heißen, Julian?«

»Lama ist Tibetisch für „Leiter“ oder „Hoher Priester“. Der Mönch, der gestern Abend in der Mitte Platz nahm, ist unser Lama.«

Ich begriff es immer noch nicht. »Und das heißt?«, fragte ich leicht genervt von der Tatsache, dass alle anderen hier scheinbar im Bilde waren, nur ich nicht.

»Du kennst doch den Dalai Lama, oder? Schau dir an, was bei mir steht, Andreas. Da steht „Julian Brüggen - Novize Jens“. Schau dir an, was bei allen anderen Mönchen auf Zeit steht, die in den letzten drei Monaten diesen Tempel besucht haben.«

Ich las die riesige Tafel von oben nach unten. »Bei allen steht ein Novize als Lehrer und wir beiden sind aktuell die einzigen Novizen hier«, stellte ich erstaunt fest. »Wieso soll das Oberhaupt des Tempels nur mich lehren? Wer entscheidet das?«, fragte ich Julian. *Bestimmt hat Linda das Exklusivpaket gebucht,* dachte ich grinsend.

»Das entscheidet der Lama bei der ersten Begegnung«, erklärte Julian respektvoll.

Mir schossen unzählige Gedanken durch den Kopf: *Warum ich? Hatte er bemerkt, dass ich reich wirke und hoffte auf eine großzügige Spende? Sah ich so bemitleidenswert aus nach der qualvoll langen Busfahrt und der grauenvollen Wanderung durch den Regenwald?* Ich fühlte mich schlagartig besser. Irgendwie wertgeschätzt und respektiert.

Ein lauter Gong, ähnlich dem, der mich geweckt hatte, ertönte in diesem Moment. Julian wies mit dem Kopf in Richtung des Raumes, in dem wir gestern unser Abendgebet gesprochen hatten.

Wir liefen langsam in den Raum. Es war einerseits angenehm kühl und andererseits spürte ich die schwüle Luft, die durch die weit geöffneten riesigen Türen hinter der Buddhafigur hineingelangte. Ich setzte mich auf das Sitzkissen, das ich schon am Vorabend benutzt hatte und ließ mich etwas plump darauf fallen. Außer mir und Julian war niemand da. Die riesige, goldene Buddhafigur war respekteinflößend. Die Augen waren leicht geöffnet, der Blick richtete sich auf einen Punkt am Boden. Die Beine waren in einer Art Schneidersitz verschränkt, wobei die Füße auf den Oberschenkeln ruhten. Die linke Hand der Statue lag auf dem Schoß, mit der Handinnenfläche nach oben. Der rechte Arm war gerade nach vorne gestreckt und die Hand lag auf dem Knie des rechten Beines. Auf dem Kopf hatte die Statue eine Art spitz zulaufenden Hut.

Ich hatte Mühe meine Beine im Schneidersitz zu belassen und spürte, wie die Innenseiten meiner Oberschenkel schmerzten. In diesem Moment kamen die Mönche herein, langsam und bedächtig in einer Reihe laufend, die Hände unter dem Gewand. Sie setzten sich – ohne uns zu begrüßen – auf ihre Tücher in der ersten Reihe vor der Statue und hielten ihre beiden Hände mit den Handflächen gen Himmel übereinander auf ihrem Schoß.

Das Morgengebet dauerte gefühlt dreißig Minuten. Schätzte ich. Ich hatte meine Rolex in meinem Zimmer gelassen, eingewickelt in ein Paar Socken, versteckt in meinen Schuhen.

Am Ende des Gebets begann Julian wieder mit dem Ritual, das ich bereits vom Abend zuvor kannte. Die gefalteten Handflächen wurden an die Stirn geführt und gleichzeitig wurde der Kopf gesenkt. Ich tat es ihm nach und beobachtete, dass die Mönche diese Geste nicht vollzogen.

Nach weiteren dreißig Minuten standen wir wieder auf, darauf bedacht unsere Füße nicht dem Buddha zuzuwenden. Die Mönche zogen sich in einen Bereich am anderen Ende des Raumes zurück. Julian ergriff das Wort und sagte: »Andreas, heute ist mein letzter Tag hier. Ich reise am Nachmittag wieder ab.« Als ich das hörte, fühlte ich mich ratlos und auch etwas enttäuscht. Traurig traf es vielleicht auch. Wir kannten uns zwar erst einen Tag, aber Julian war für mich mein Begleiter geworden, der mir alles erklärte und mir Antworten auf meine Fragen geben sollte. Ich suchte nach Worten, um meine Gefühle zu formulieren, doch ich wurde von den Mönchen unterbrochen, die aus ihrem Raum zurückkehrten. Eingewickelt in ihre Gewänder sah ich die goldfarbenen Schalen, die zuvor auf dem langen Holztisch gestanden hatten. Die Mönche liefen in einem Abstand von etwa einem Meter an mir und Julian vorbei. Sofort senkte dieser sein Haupt und wartete, bis die Mönche uns passiert hatten. Ich tat es ihm gleich. Kurz darauf sah ich ihn an, zog meine Augenbrauen hoch und hob fragend meine Schultern. »Wir müssen ihnen Ehre erweisen, das lernst du noch«, antwortete Julian und zog mich hektisch in Richtung des Raumes mit den Schalen. Er nahm eine Schale, steckte sie unter sein Gewand und hielt sie von innen mit den Händen fest. Ich tat es ihm gleich, ohne es zu hinterfragen. Ich war hungrig und zu kraftlos, um über den Sinn dieser Aktion nachzudenken. Wir liefen durch die Empfangshalle, vorbei an der Tafel, die mich zum Lehrling des Lamas ernannt hatte und traten hinaus ins Freie.

Die Sonne brannte. Es fühlte sich so an, als würde man zu nahe an einem Lagerfeuer stehen. Mit zugekniffenen Augen sah ich die Mönche am Fuße der Treppe stehend.

Wir stiegen die Treppenstufen hinab, die Schale unter dem Gewand fest im Griff. Unten angekommen schützte uns das dichte Blätterdach vor der direkten Sonneneinstrahlung. Der Lama stand vor uns, die anderen Mönche liefen einige Meter voraus, auf dem Trampelpfad, auf dem auch ich am Tag zuvor den Weg in den Tempel gefunden hatte. Die Situation war für mich sehr überwältigend. Ich spürte eine Art Demut und höchsten Respekt vor dem Lama. Ein Gefühl, das mir völlig unbekannt war. In meinem Leben war ich immer der gewesen, der ganz oben steht, den alle bewunderten und der die Befehle gab.

Der Lama setzte sich in Bewegung und lief den anderen Mönchen hinterher. Julian und ich taten es ihm gleich. Mir fiel auf, dass der Lama keine Schuhe trug. Barfuß lief er auf dem steinigen und unebenen Weg über den schmalen Trampelpfad durch den Regenwald.

Nach einer Weile schweigenden Gehens mit Gewand, meiner Schale und Sandalen stieß mich Julian mit dem Ellbogen leicht in die Seite und wies mit dem Kopf in Richtung des Lamas.

»Was?«, flüsterte ich leise.

»Du kannst ruhig mit ihm sprechen, Andreas«, sagte er.

Ich wusste nicht recht, ob ich dem Glauben schenken sollte. Der Lama wirkte so unnahbar. Andererseits sprach er meine Sprache und war laut Tafel mir zugewiesen. Ich folgte ihm noch einige Meter und entschied dann, ihn anzusprechen. Ich lief etwas schneller, um zu ihm aufzuschließen. Als ich etwa einen Meter hinter ihm lief, überlegte ich, wie ich ihn ansprechen sollte.

»Hallo Andreas, wie geht es dir heute?«, kam er mir in diesem Augenblick zuvor.

»Danke recht gut, ich vermisse mein Handy und würde gerne in der Firma anrufen. Geschlafen habe ich sehr gut. Und hungrig bin ich«, fasste ich meine Eindrücke zusammen.

»Deiner Firma geht es gut, hab Vertrauen«, antwortete er. In seiner Stimme lag etwas sehr Beruhigendes und dennoch spürte ich seine Autorität.

Nicht wissend, wie ich darauf hätte antworten sollen, wechselte ich das Thema, um weiter im Gespräch zu bleiben. »Tut Ihnen das Laufen ohne Schuhe nicht weh?«, fragte ich vorsichtig. Ich fühlte mich in dieser Situation sehr fremd. Ich war es nicht gewohnt, jemandem mit so viel Respekt und Ehrfurcht zu begegnen.

»Schmerz ist unvermeidlich, Leiden freiwillig«, lachte er. *Was für eine tolle Antwort,* dachte ich ironisch. *Wenn der jetzt meinen ganzen Aufenthalt über nur in Rätseln und Zitaten spricht, dann haue ich hier ab.* Ich war ein Freund klarer, präziser Aussagen, schon mein Leben lang. Wir bogen derweil von dem mir bekannten Trampelpfad auf einen noch schmaleren Weg ab. Ich hatte inzwischen schwer mit dem Untergrund zu kämpfen, der immer unebener wurde. Meinen Blick fokussiert auf jegliche Hindernisse, die vor mir liegen könnten, versuchte ich Dornen und spitzen Steinen auszuweichen.

»Schau nach oben, Andreas, auf den Horizont, nicht auf den Boden«, sagte der Lama meinen angestrengten Gang beobachtend.

»Aber dann trete ich ich noch auf die spitzen Steine oder gelange in die Dornen«, erwiderte ich, irritiert von seiner Aussage.

»Im Gegenteil. Schau nach vorne«, sagte er.

Seinen nicht wirklich gut erläuterten Ratschlag widerwillig annehmend löste ich meinen Blick vom

Boden und richtete ihn geradeaus. Die Mönche, die vor uns liefen, hatten ihren Blick ebenfalls nach vorn gerichtet. Julian, der knapp hinter mir lief, wechselte zwischen Boden und Horizont. Ich schaffte es nicht wirklich, meinen Blick zu halten. Die Angst, in etwas hereintreten zu können, war trotz Sandalen zu groß.

»Wie lange laufen wir? Julian hat mir erzählt, wir würden in das Dorf am Fuße des Berges wandern und um etwas zu Essen betteln«, sprach ich den Lama erneut an.

»Bis wir dort sind«, erwiderte er schlicht. Seine Antwort machte erneut einfach keinen Sinn für mich. Er fügte hinzu: »Wir betteln nicht. Die Menschen aus dem Dorf möchten uns das Essen spenden, um gutes Karma zu erlangen. Lass uns den Spaziergang genießen, nach dem Essen werden wir uns unterhalten, Andreas.«

Schweigend folgte ich seinen Worten.

Den Gang hinunter ins Tal empfand ich als sehr anstrengend. Bei jedem Schritt musste ich die Wadenmuskulatur anspannen, um nicht aus den zu großen Sandalen zu rutschen. Die Sonne und die damit einhergehende Hitze waren auch um diese Uhrzeit schon sehr präsent. Wir verließen den dichten Regenwald und gelangten an eine schmale Straße. Es war niemand zu sehen. Kein Mensch, kein Tier, kein Fahrzeug. Der Asphalt reflektierte die Hitze und ich begann stark zu schwitzen. Wir liefen eine Weile die leere Straße entlang, bis wir in ein Dorf gelangten. Ich sah das Café, von dem Julian gesprochen hatte. Dort sollte ich Empfang haben und in meiner Firma anrufen können. Erschöpft und hungrig nahm ich es einfach nur wahr und machte mir keine weiteren Gedanken darüber. Ich sah einige Kinder, die mitten auf der Straße tobten und spielten. Als sie uns kommen sahen, rannten sie freudig zu ihren Häusern. Wenige Augenblicke später kamen ungefähr zwanzig Erwachsene mit Schüsseln und großen Löffeln an die Straße. Es war, als hätte jemand einen stillen Alarm ausgelöst. Die gesamte Straße war voll mit Menschen. Die Mönche, Julian und ich gingen auf die erste Frau in der Reihe zu. Ich überlegte, wie ich mich wohl verhalten sollte und beschloss, es den vor mir laufenden Mönchen nachzumachen. Der erste in der Reihe holte die goldfarbene Schüssel unter seinem Gewand hervor, öffnete den Deckel und blieb vor der Frau stehen. Sie strahlte. Lächelnd gab sie zwei große Löffel Reis in die Schüssel, faltete ihre Hände zum Wai und verbeugte sich. Der Mönch reagierte nicht. Kein Danke, kein Wai, kein Lächeln, keine Geste. Die anderen taten es ihm gleich.

Ich war an der Reihe. Auch in meine Schüssel gab die Frau freudestrahlend zwei große Löffel mit Reis. Sie hatte ihn eben erst gekocht, das roch ich. Auch vor mir verbeugte sie sich und achtete darauf, mich nicht zu berühren. Dies hatte ich vor Antritt meiner

Reise gelesen. Mönche dürfen Frauen nicht berühren. Diese Prozedur wiederholte sich bei allen Menschen, die an die Straße kamen. Wir hatten Reis im Überfluss, dazu ein paar Gurken und etwas Gemüse, das ich nicht kannte, sowie einige Früchte mit weichen Stacheln auf der Schale. »Rambutan«, lächelte Julian und zeigte auf die merkwürdig aussehende Frucht, »sowas Leckeres findest du in Deutschland nicht.«

Nach ungefähr dreißig Minuten liefen wir zurück. Die Straße war wie leergefegt, die Sonne stand nun noch höher und präsentierte ihre volle Kraft. Nun kam mir der Weg durch den Regenwald wie ein Geschenk vor. Die dichten Baumkronen schützten uns vor der Sonne und ein wenig vor der Hitze.

Zurück am Tempel spürte ich, wie meine Beine vor Anstrengung brannten. *Sie müssen unbedingt mehr Sport machen,* erinnerte ich mich an die warnenden Worte meines Arztes und lachte innerlich. *Da hatte er wohl Recht,* sinnierte ich und sah in den Gesichtern der Mönche nicht mal einen Hauch von Anstrengung.

Wir aßen gemeinsam, kniend an einem Holztisch, der nur dreißig Zentimeter hoch war. Es gab Reis, Gemüse und Tee. Ich aß verhältnismäßig wenig, da ich nach der Anstrengung keinen Hunger verspürte. Julian sah, wie ich mein Mahl beendete und stieß mich leicht mit dem Ellbogen in die Seite. »Iss Andreas, nach zwölf Uhr mittags dürfen wir bis zum nächsten Morgen nicht mehr essen«, flüsterte er.

»Echt jetzt?«, fragte ich erstaunt und schaute ihn ungläubig an. Er nickte nur und lächelte. »Nach einiger Zeit hast du dich daran gewöhnt.«

Ich überwand mein Sättigungsgefühl und aß noch etwas Reis und Gemüse.

Nach dem Essen erledigten wir alle gemeinsam den Abwasch, putzten den Tisch und fegten den Essbereich. Danach folgte die Empfangshalle, der Raum mit der großen Buddhafigur und mein Zimmer. Wir putzten den gesamten Tempel und fegten die Terrasse. Ich überlegte, wann ich zuletzt eigenständig etwas sauber gemacht hatte. *Verdammt lange her,* stellte ich fest und dachte kurz an Marta und daran, was sie in meinem Haus wohl gerade machte.

Der Rest des Tages bestand aus Gebeten und sehr viel Meditation, die für mich schwierig umzusetzen war, da ich zu viele Gedanken im Kopf hatte, um mich entspannen zu können.

Am Nachmittag gingen wir gemeinsam in den riesigen Garten und pflegten die Sträucher und Bäume. Es machte mir nichts aus. Ich dachte zu diesem Zeitpunkt noch immer nicht daran, in meiner Firma anzurufen, meine E-Mails zu checken oder meine Bilanzen zu sichten. Der Tag flog nur so dahin, vollgepackt mit neuen Eindrücken.

Gegen Abend stand Julian mit einer Reisetasche und Alltagskleidung in der Empfangshalle und verabschiedete sich von den Mönchen, indem er sich mit gefalteten Händen verbeugte. Die Mönchen waren wie gewohnt regungslos. Bis auf den Lama. Mit einem Lächeln auf den Lippen sagte er: »Auf Wiedersehen, Julian. Bis zum nächsten Jahr.«

Ich überlegte, ob er aufgrund seines Titels eine Art Sonderstellung hatte. Er benahm sich nicht wie ein Mönch. Zumindest nicht so, wie ich es in Dokumentationen gesehen hatte. Er schien mehr eine Art Mönch 2.0 zu sein.

Julian kam zu mir, nahm mich in den Arm und sagte: »Meine Zeit für dieses Jahr ist um, ich fliege heute zurück. Ich kann mich noch an mein erstes Mal hier erinnern. Vor vielen Jahren stand ich zum ersten Mal in dieser Halle und alles war fremd und neu für mich. Ich möchte dir einen Rat geben. Lass dich darauf ein, nimm alles mit, was dir gut tut, und denk nicht zu sehr an dein Zuhause. Dort ist alles in Ordnung. Du musst nur daran glauben.«

Ich lächelte und dankte ihm für die Zeit, die er sich für mich genommen hatte. »Danke dafür, dass du mir hier alles gezeigt hast, Julian. Ich fühle mich nun sicherer.«

»Andreas«, sagte er, machte eine kurze Pause und legte seine Hand auf meine Schulter, »ich habe dir nur einen Bruchteil dessen gezeigt, was dich hier erwartet. Du weißt noch gar nichts, so wie ich damals. Es wird großartig, vertraue mir.«, fuhr er fort. Er nickte mir anerkennend zu, drehte sich um und lief hinaus.

Da stand ich nun also, in einem Tempel mitten im thailändischen Regenwald, allein mit Mönchen. Dies war der Zeitpunkt, ab dem der Lama sich mir annahm. Ich werde die nun folgenden Lektionen, wie ich sie nenne, niemals vergessen können.

VII

ICH LEBTE ZUM damaligen Zeitpunkt seit drei Tagen mit buddhistischen Mönchen in einem Tempel hoch auf einem Berg mitten im Regenwald. Die Tage waren immer gleich. Um fünf Uhr morgens erklang ein gewaltiger Gong aus dem Garten. An diesem Morgen wachte ich vor dem Gong auf. Meine Rolex zeigte 4:43 Uhr. Nach dem morgendlichen Gebet folgte der Pindabat, der Almosengang durch das Dorf am Fuße des Berges. Das Frühstück fiel wie jeden Tag karg aus. Es gab Reis mit Gemüse und Obst zum Nachtisch. Dazu reichlich Tee. Fleisch hatte ich noch nie auf dem Teller gehabt. Nach dem gemeinsamen Frühstück wurde der Tempel gründlich geputzt. Die darauffolgende Meditation machte ich immer mit, doch ich kam nie richtig zur Ruhe. Ab zwölf Uhr gab es keine feste Mahlzeit mehr. Die Nahrungsaufnahme beschränkte sich auf Wasser und Tee. Schon am dritten Tag merkte ich, dass ich abgenommen hatte. *Wohl nur Wasser,* überlegte ich. Ich hatte bereits unzählige Diätversuche hinter mir, die immer dasselbe Ergebnis gezeigt hatten. Jo-Jo-Effekt, und am Ende wog ich mehr als vor der Diät.

Bis in den Abend meditierten wir, darauf folgten das Abendgebet und schließlich die Nachtruhe.

Der Lama hatte mich, so denke ich rückblickend, mit Absicht einige Tage in Ruhe gelassen, damit ich mir einen Eindruck vom Leben als Mönch machen konnte. Dies endete an diesem Tag.

Ich saß nachmittags im Garten auf einer Bank aus Stein unter einer voluminösen Palme und lauschte den Geräuschen des Regenwalds, als der Lama langsam auf mich zukam und sich neben mich setzte. Ich nahm augenblicklich eine aufrechtere Haltung an und versuchte respektvoll zu wirken. Diese Eigenschaft kannte ich an mir nicht, da ich bisher immer die Person gewesen war, die von allen respektiert und gefürchtet wurde.

»Ganz ruhig«, lachte der Lama und legte seine Hand auf meine Schulter. »Was möchtest du mich fragen?«, fuhr er fort.

»Fragen?«, erwiderte ich verdutzt.

»Ja, stell mir deine Fragen. Ich sehe, dass du welche hast«, sagte er mit ruhiger Stimme.

Also begann ich: »Wissen Sie, ich frage mich, warum meine Assistentin dies hier für mich ausgesucht hat. Ich war noch nie an einem Ort wie diesem, und sie weiß, dass ich mich eigentlich um meine Firma kümmern muss. Ich habe seit meiner Ankunft nicht einmal dort angerufen oder meine E-Mails gelesen, geschweige denn meine Anrufe gecheckt. Ich bin der Inhaber und Geschäftsführer und muss mich doch darum kümmern. Das beschäftigt mich.«

»Andreas, hast du Vertrauen in deine Mitarbeiter?«, fragte er.

»Na ja, schon«, gab ich zu, »aber ich kontrolliere es dennoch, es ist ja meine Verantwortung.«

»Was fühlst du? Geht es deiner Firma gut?«, fragte er weiter.

»Ja, ich denke schon, aber ich bin nicht sicher. Ich habe noch nie so lange keinen Kontakt gehabt«, sagte ich und schaute auf meine Uhr.

»Was ist schon sicher? Was bedeutet Erfolg für dich, Andreas?«, fragte der Lama und drehte seinen Oberkörper zu mir.

Wie kommt er jetzt darauf? Was soll diese Frage?, dachte ich. »Erfolg habe ich, wenn ich viel Geld verdiene, ein schönes Haus besitze und mir alles leisten kann, was ich will.«

Der Lama schaute mich an und schwieg. Nach einigen Augenblicken sagte er: »Weißt du, Andreas, ich möchte dir etwas über mich erzählen. Ich bin hier in Surat Thani geboren. Mit drei Jahren nahm meine Mutter mich mit nach Deutschland. Ich besuchte die deutsche Schule, machte mein Abitur und plante,

Jura zu studieren. Wieso? Weil man damit viel Geld verdient, richtig? Nun, meine Mutter sagte mir immer wieder, dass ich absolut frei in meinen Entscheidungen sei und alles machen könne, was ich möchte. Die einzige Bedingung, die sie mir stellte, war, dass ich ein Jahr lang als Mönch leben sollte, um meine Wurzeln, meine Kultur und meine Weltanschauung zu festigen. Ich willigte ein. So lebte ich in Deutschland ein Jahr lang im buddhistischen Tempel. Dort besuchten uns viele Mönche aus Thailand und aus Tibet für einige Wochen und verließen uns wieder. Es war ein Kommen und Gehen. Nach diesem Jahr ging ich an die Universität und studierte Jura. Ich machte meinen Abschluss und wurde Rechtsanwalt. Ich vertrat bekannte Größen und wichtige Leute und war in den Augen der meisten Menschen wahrscheinlich sehr erfolgreich. Ich eröffnete weitere Kanzleien und stellte zusätzliche Anwälte ein. Diese gewaltige Expansion erstreckte sich über einige Jahre. An einem sonnigen Mittwoch im Juni, den Tag werde ich nie vergessen, kam ein besonderer Bewerber. Wir führten das übliche Bewerbungsgespräch, wie du es sicherlich auch aus deiner Firma kennst. Am Ende fragte ich ihn, ob er noch etwas wissen wolle. Er bejahte und stellte mir die folgende Frage: „Wieso sind Sie Anwalt geworden?" Ich erwiderte, dass ich viel Geld verdienen und erfolgreich sein wolle. Er schaute mich mit großen Augen an und verließ wortlos den Raum.

Ich war total perplex. Am nächsten Tag rief ich ihn an und fragte ihn nach seinem Verhalten vom Vortag. Es ließ mir keine Ruhe. Er sagte, dass er nicht für mich arbeiten wolle, weil ich gar nicht wisse, worum es überhaupt geht. Geld zu verdienen und erfolgreich zu sein, seien zwei völlig verschiedene Dinge und nicht das, worum es im Leben eigentlich geht. Er warf mir vor, keinen Sinn hinter meiner Arbeit zu sehen, sondern nur Geld im Kopf zu haben, und dass dies unweigerlich zum Scheitern führe.

Ich verstand nicht, aber ich merkte, dass es mich getroffen hatte. Eines Tages vertrat ich in einem großen Prozess eine bekannte Persönlichkeit aus der Wirtschaft. Ich wusste, dass er schuldig war, dennoch verpflichtete mich das deutsche Rechtssystem, ihm die beste Verteidigung zukommen zu lassen, zu der ich imstande war. Wir gewannen und er wurde freigesprochen. Danach kam er zu mir und sagte: „Sehen Sie, Geld ist mächtiger als die Wahrheit, jeder ist käuflich." Ich ging tags darauf zum Staatsanwalt, der die Anklage verlas und durchblicken ließ, dass mein Mandant wohl Zeugen bestochen hatte, was er aber nicht beweisen konnte. Ich war wütend. Das war nicht meine Auffassung von Gerechtigkeit. Ich erinnerte mich an die Worte meiner Mutter, die stets gesagt hatte: „Ärgere dich nicht über andere Menschen, das Karma holt jeden wieder ein. Ob man will oder nicht." Ab diesem Zeitpunkt stellte ich mir andere Fragen. „Was möchte ich wirklich?" und „Wozu bin ich überhaupt auf der Welt?" waren zwei davon. Ich ging in Bibliotheken, ich las jedes Buch, von dem ich dachte, dass es Antworten parat haben könnte. Ich las über Leonardo Da Vinci, über Albert Einstein, über Reinhold Messner, und ich bekam Antworten, die ich so nicht erwartet hatte. Das Problem an der Sache war, dass ich es nur gelesen hatte. Ich hatte es zwar verstanden, doch mein erster Lama, Jahre später in einem Tempel in Bangkok, nannte mir einen Satz des Buddha, den ich dir auch ans Herz legen möchte: „Wissen und nichts tun ist wie nicht wissen". Daraufhin entschied ich eines Tages, mich von dem Leben als vermeintlich erfolgreicher Rechtsanwalt zu verabschieden und in meine Heimat zurückzukehren. Ich verkaufte die Kanzleien, verkaufte all mein Hab und Gut und lebte viele Jahre in Bangkok in verschiedenen Tempelanlagen, bis ich zurück hierher, zu meinem Geburtsort, kam. Ich bin Buddhist. Ich bin Mönch. Ich habe aber auch gelernt, dass es nicht den einen Weg gibt, der für alle funktioniert. Es gibt kein Patentrezept für das Leben. Ich bin durchaus offen für andere Impulse, für andere Religionen, für andere Weltanschauungen. Wir verurteilen niemanden, weil er an etwas anderes glaubt, und auch ich habe einige traditionell buddhistische Anschauungen für mich anders definiert. Du bist nicht verheiratet, Andreas, du lebst für deine Firma.

Und das ist okay. Ich möchte dir in der Zeit, in der du hier bist, eine andere Sichtweise zeigen. Du allein entscheidest, wie du damit umgehst und was du daraus machst.«

Das waren viele Informationen, die ich erst einmal verarbeiten musste. Er war also ein Mönch, hatte sich aber einige Regeln selbst gestaltet. Es kam mir sehr verwirrend vor. Ich wusste, dass vollordinierte Mönche mehr als zweihundert Regeln zu beachten haben.

Er fuhr fort: »Andreas, wann ist in deinem Leben der Punkt erreicht, wo du sagst, dass du zufrieden bist?«

Ich wusste die Antwort: »Wenn ich meinen Umsatz steigere, wenn ich die größte Firma der Welt erschaffen habe.«

»Was denkst du? Sag mir eine Zahl. Du hast sicherlich eine Zahl im Kopf«, sagte er und schaute mich mit einem hochintensiven Blick an.

Ich musste nachdenken, diese Frage hatte mir noch niemand gestellt. Schließlich sagte ich: »Na ja, wenn ich die Milliarde geknackt habe. Derzeit besitze ich einige Millionen. Aber das macht mich nicht besonders. Das haben viele Menschen auf der Welt. Ich denke, wenn ich Milliardär bin, werde ich zufrieden sein.«

Der Lama erhob sich von der Bank und gab mir zu verstehen, ihm zu folgen. Wir liefen langsam in Richtung Hintereingang des Tempels. Der Lama blieb ab und an einfach stehen und betrachtete minutenlang eine Blume, ohne ein Wort zu sagen. *Was ist an dieser Blume so spannend? Lass uns weitergehen,* dachte ich und spürte, wie sehr mich diese Pausen stressten. Nach weiteren Unterbrechungen liefen wir in den Tempel, durch die Halle, in der wir unsere Gebete sprachen, zu einer Kammer, in der ich vorher noch nicht gewesen war. Der Lama öffnete die Tür und deutete in das Zimmer. Ich sah hinein. Es sah aus wie mein Zimmer, nur dass auf dem Bett keine Matratze lag. Er öffnete den kleinen Schrank auf der rechten Seite und sagte: »Schau hinein. Was siehst du?«

In dem Schrank lag die Almosenschale, die ich vom Pindabat kannte. Daneben ein Set aus Nadel und Faden.

Im unteren Regal lagen ein Wasserfilter und ein Rasiermesser mit Schleifstein. Ich beschrieb ihm, was ich sah, und er erklärte: »Das ist alles, was ich besitze. Wie wirke ich auf dich? Unzufrieden? Weil ich keine Milliarde habe?«

Erneut spürte ich seinen intensiven Blick. Ich wusste nicht, was ich antworten sollte, und sagte vorsichtig: »Nein, ich denke nicht, oder?«

Ohne eine Antwort liefen wir zurück in den großen Garten und setzten uns erneut auf die Bank.

»Zufriedenheit, Andreas, ist eine Entscheidung. Deine Entscheidung. Du kannst diese Entscheidung niemand anderem überlassen oder an etwas Äußerem festmachen. Keinem anderen Menschen, keinem

Besitz, oder dem Wetter. Kein Mensch wurde je geboren, dessen Lebensaufgabe es ist, dich glücklich und zufrieden zu machen. Glücklich kannst du nur sein. Es ist egal, ob du Millionär bist, Milliardär oder Bettler. Es ist deine Einstellung.«

Ich war verdutzt, so was hatte man mir noch nie gesagt.

»Aber ich kann mir fast alles leisten, was ich möchte, und das macht mich schon glücklich«, erwiderte ich.

Der Lama lachte leicht, blickte nach oben in den klaren, blauen Himmel und sagte: »Du bist Millionär, Andreas. Wovon träumst du? Du möchtest Milliardär werden. Was ist, wenn du das erreicht hast? Was kommt dann?«

Darauf kannte ich keine Antwort. Ich wusste nicht, was danach kommen würde, aber ich wollte es erst einmal erreichen. Das war sicher.

»Wir glauben, dass es unendliches Leid bedeutet, sich immer nach mehr zu verzehren. Immer mehr zu wollen und dann doch zu spüren, dass auch diese nächste Stufe nicht zum gewünschten Ergebnis geführt hat.«

Das verstand ich nicht, was mir anzusehen war. Ich schaute ungläubig und brachte keine Antwort hervor.

Also fuhr er fort: »Überlege mal, Andreas. Wenn es dir reichen würde, glücklich zu sein, würdest du gar nicht auf andere Menschen schauen. Neid ist im

Buddhismus immer selbst erzeugtes Leid. Du selbst erzeugst diesen leidvollen Zustand. Du willst aber nicht einfach glücklich sein. Du möchtest glücklicher als alle anderen sein. Daher schaust du auf die Menschen, die eine Milliarde Dollar auf dem Konto haben. Was genau macht sie nun glücklicher als dich? Du weißt es nicht, oder? Hast du sie einmal gefragt? Ich habe es getan, und ich sage dir, dass sie bei Weitem nicht glücklich sind. Anders ausgedrückt, ihr Reichtum ist nie der Auslöser ihrer Zufriedenheit.«

»Inwiefern?«, fragte ich, gebannt von den Worten des Lamas.

»Was siehst du denn von den andern Menschen? Was geben sie preis? Sie erzählen, was in ihrem Leben alles herausragend gut läuft. Sie teilen es in den Sozialen Medien, wenn sie ein tolles Abendessen hatten. Wenn sie nichts zu essen haben, machen sie dann ein Foto von ihrem leeren Teller? Nein. Du würdest es nicht erfahren. Es ist eine Art der Selbstdarstellung, und nur die positivsten und schönsten Momente werden gefiltert. Gefiltert aus einem Leben voller Leid, in dem wir alle leben. Im Prinzip kannst du gar nicht wissen, was die Menschen wirklich denken und wie zufrieden sie sind. Du siehst nur, was sie dir erlauben zu sehen. Und dieses Bild ist meistens sehr überzeichnet.«

Stille. Es leuchtete mir ein. Noch am Morgen meiner Abreise hatte ich – wie jeden Morgen – meinen

Kontostand überprüft und mich minderwertiger gefühlt als alle anderen, bei denen mehr Nullen vor dem Komma stehen.

Er fuhr fort: »Im Zen sagen wir, dass jede Münze zwei Seiten hat. Und dass, wenn eine Seite der Münze fehlen würde, wir keine Münze mehr hätten. Das bedeutet, dass deine Erfolge automatisch Niederlagen einschließen. Dein Erfolg ist im Prinzip genau wie eine Niederlage, denn sonst gäbe es keinen Erfolg.«

Mir schossen die Gedanken nur so durch den Kopf. Ich empfand seine Aussagen als sehr schwer verständlich. Ich musste plötzlich an meine Frau denken, an meine Tochter und an meine Freunde, die mit den Jahren immer weniger wurden. Ich schaute ihn an und fragte: »War es also ein Teil meines Schicksals, dass ich meine Familie verloren habe?«

»Nein, Andreas«, erwiderte er, »was verstehst du unter Schicksal?«

»Ich denke, Schicksal ist eine Art Blaupause, ein Masterplan Gottes für jedes Leben«, erklärte ich.

Der Lama schaute mich an und nickte: »Wir glauben nicht daran, dass es Schicksal gibt. Nicht in der Bedeutung, wie du sie nennst. Das Karma, also das, was dir im Leben oder danach passiert, beruht auf Ursache und Wirkung. Was du heute bist, Andreas, ein reicher Geschäftsmann, ist das Ergebnis deines Handelns und das Ergebnis deines Unterlassens. Dein Handeln bestand darin, dich aufopferungsvoll um deine Firma zu kümmern. Dadurch hast du viel Geld verdient und darfst dich heute als reich betiteln.«

Ich blickte ihn stumm an und war gespannt auf seine weiteren Aussagen.

Nathapong fuhr fort: »Dein Unterlassen bestand darin, dich nicht ausreichend um deine Familie gekümmert zu haben, deine Freunde vernachlässigt zu haben. Daher bist du heute alleine, ohne deine Familie. Das hat keine höhere Macht entschieden, keine übernatürliche Vorsehung. Das alles hast allein du mit deinen Taten vollbracht.«

Ich wurde schlagartig traurig und fühlte mich geradezu niedergeschlagen. *Bin wirklich ich allein an allem schuld,* dachte ich. Ich überlegte und fragte den Mönch: »Wenn ich all das getan habe, kann ich es wieder umkehren? Kann ich es anders machen? Von vorn beginnen?«

Nathapong schaute mich an und erwiderte: »Unser Karma kann nicht rückwirkend verändert werden. Es kann nicht verschwinden. Es verbleibt in der Ewigkeit. Es kommt darauf an, wie unsere Bilanz am Ende des Lebens aussieht. Wie viel Gutes hast du getan? Wie mitfühlend und gütig warst du? Wie viel hast du der Gesellschaft zurückgegeben von dem, was dir gegeben wurde? Überlege dir für deine nächsten Ziele genau, was du bereit bist zu opfern. Du hast erfahren, dass sehr viel Reichtum auf der einen Seite sehr viel familiäres Leid auf der anderen

Seite hervorrufen kann. Ist es dir das wert? Diese Frage kannst nur du allein beantworten. Von vorn beginnen kannst du nicht. Du bist mittendrin. Deine Taten und dein Verzicht lassen sich nicht auslöschen. Du hast aber selbstverständlich die Möglichkeit, in jedem Moment, der noch kommt, deine Prioritäten zu überdenken.« Nathapong lächelte aufrichtig und fuhr fort: »Der Buddha lehrt: Der Grund, warum die meisten Menschen nicht frei sind und nie frei sein werden, ist Anhaftung.«

Der Lama blickte mich an und erwartete keine Antwort, das sah ich.

Ich schwieg und hatte Tränen in den Augen. Niemand hatte mir je zuvor solche Dinge gesagt. Niemand hätte sich dies je getraut. Ich war der Firmenchef, und man machte mir keine Vorwürfe, man bewunderte mich für meine Stellung und mein Erreichtes. Ich dachte darüber nach, wie viel ich tatsächlich aufgegeben hatte, um meine Ziele zu erreichen.

Ich fragte ihn: »Aber habe ich wirklich so viel Schlechtes in meinem Leben getan, dass mir meine ganze Familie genommen wird?«

Nathapong schaute in den blauen Himmel und erwiderte:

»Darauf kann ich dir keine Antwort geben. Das Karma besteht nicht nur aus Konsequenzen dieses Lebens, es kann auch aus einem vorherigen stammen und die neue Aufgabe für dein jetziges

Leben darstellen. Das weiß niemand. Wenn du ab heute nur gütige Gedanken hegst und mitfühlende Taten vollziehst, müssen die Auswirkungen nicht in diesem Leben erscheinen. Was du spüren wirst, ist, wie wohl und glücklich du dich fühlen wirst. Gesten des Gebens, des Teilens und des Umsorgens sorgen für mehr Freude und Zufriedenheit als alles Geld der Welt. Darauf gebe ich dir mein Wort. Ich hatte es. Ich hatte dieses entsetzliche Geld. Es machte mich krank, wie es die ganze Welt krank macht. Jeden Tag.«

Ich blickte ihn an und sah, dass er vollkommen hinter diesen Worten stand. Sein Gesichtsausdruck war überaus freundlich und wärmend.

Ich fragte ihn: »Woher weiß ich, wann mein Karma einsetzt und wann etwas eine Konsequenz meiner Handlung ist?«

Nathapong antwortete: »Alles ist eine Konsequenz deiner Handlung. Wir kommen oft in Situationen, in denen wir zweifeln. Wir wissen nicht, warum manche Dinge passieren. Die Wissenschaft hat für vieles eine Erklärung. Manche Dinge aber sind wissenschaftlich nicht zu erklären. Wir haben einen kleinen Jungen von sieben Jahren im Dorf. Er klettert gerne auf Palmen und erntet Kokosnüsse. Im letzten Jahr stürzte er aus dreißig Metern in die Tiefe und fiel auf seinen Kopf. Die Umstehenden waren schockiert, und niemand rechnete damit, dass er diesen Sturz überlebt haben könnte. Die Wissenschaft kann nicht sagen, warum er nicht gestorben ist. Aber er lebt. Für manche Dinge gibt es keine Erklärung. Aber wir müssen eine Einstellung zu diesen Phänomenen einnehmen, um sie für uns zu erklären.«

Ich blickte ihn an und sagte: »Er hatte Glück. Das passiert.«

Nathapong lachte. »Ja, das ist eine Art der Einstellung. Weißt du, wir haben im Nachbarort einen Dorfältesten. Wenn du zu ihm gehst und ihn fragst, warum du deine Familie verloren hast, wird er dir Antworten geben. Er wird vielleicht sagen, dass einer deiner Vorfahren vor zweihundert Jahren dieses Karma heraufbeschworen hat und du nun an der Reihe bist, damit umzugehen. Ob du daran glaubst oder nicht. Irgendwie muss der Mensch die Geschehnisse einordnen können, um nicht verrückt zu werden. Die Menschen glauben meistens nur an das, was man ihnen beweisen kann, was sie mit eigenen Augen sehen können. Na ja, das Sichtfeld des Menschen ist sehr begrenzt. Schau.« Er wies mit dem Arm in Richtung eines dichten Lotosbaums. Im Schatten der dichten Blätter hüpfte ein kleiner Hase auf der Suche nach Nahrung umher.

»Dieser Hase hat ein viel größeres Sichtfeld als der Mensch. Kann viel besser hören und riechen. Das würde bedeuten, alles, was für den Hasen sichtbar und erklärbar ist, würden wir schon als Unfug abtun, weil wir es nicht sehen können. Wir sind sehr eingeschränkt mit unseren Sinnen, versuchen aber die ganze Welt damit zu erfassen. Das funktioniert nicht. Glaubst du wirklich, dass nur das, was du mit deinen Augen siehst, mit deinen Ohren hörst oder als Geruch wahrnimmst, die Wahrheit ist?«

Ich musste schlucken und war nicht imstande zu antworten. Er sprach so ruhig und gelassen, ohne Mimik und ohne Gesten, doch seine Worte waren kraftvoller als diejenigen aller Politiker, Entertainer oder Coaches zusammen. Ich brauchte gefühlt eine Minute, um mich zu sammeln, und sagte mit zitternder Stimme: »Kannst du mir zeigen, wie ich andere Wege gehen kann? Ich möchte alles lernen, alles, was du weißt, und dann kann ich entscheiden, ob es gut für mich ist.«

Der Lama lachte und wies mich an, ihm zu folgen. Auf einem Beistelltisch nahe der großen Terrasse standen eine Kanne und zwei Gläser auf einem Untersetzer aus Bambus. »Setz dich«, der Lama wies mit dem Kopf auf den Boden. Ich setzte mich im Schneidersitz auf den warmen Boden und sah ihm zu, wie er das Glas auf meinem Schoß abstellte. Ich schaute ihn verwirrt an und war mich unsicher, was nun folgen würde.

Der Lama setzte sich neben mich, nahm die Kanne und begann, heißen Tee in mein Glas zu schütten. Das Glas füllte sich. Als das Glas etwas mehr als halb voll war, nickte ich ihm zu und sagte: »Danke«, um ihm zu verstehen zu geben, dass es genug sei.

Er goss weiter. Das Glas füllte sich bis zum oberen Rand. Er goss weiter, und der heiße Tee lief mir über die Beine und in den Schoß. Ich spürte den Schmerz, stieß das Glas um und sprang instinktiv auf. Ich war richtig wütend. »Das Glas war schon voll. Wieso gießt du denn immer weiter?« Mit schmerzverzerrtem Gesicht versuchte ich erfolglos, den Tee mit den Händen von meinem Gewand zu schöpfen. Der Lama saß seelenruhig neben mir, stellte die Kanne Tee behutsam neben sich auf den Boden, blickte mich an und sagte ruhig: »Du möchtest noch mehr lernen, noch mehr wissen. Du möchtest alles erleben. Das ist das Resultat. Du bist voll. Dein Kopf ist voller Gedanken, voller vorgefasster Meinungen und voller Erfahrungen deines bisherigen Lebens. Dein Kopf ist das Teeglas. Randvoll gefüllt. Wie willst du da noch mehr hineinbekommen?«

»Meinetwegen, das hättest du aber auch einfach sagen können, anstatt mich mit kochendem Wasser zu übergießen«, erwiderte ich noch immer angefressen und ergänzte: »Also kann ich es nicht lernen? Warum bin ich dann hier?«

»Ich empfand es als gute Gedächtnisstütze. Denkst du, du wirst diesen Augenblick jemals vergessen?«, lachte er und fuhr fort: »Andreas, jeder

Mensch kann Dinge ablegen. Wichtig ist, deine vorgefassten Meinungen beiseitezulegen, das Glas zu leeren. Dann können wir gemeinsam neuen Inhalt auffüllen. Du allein entscheidest am Ende, welcher Inhalt dir mehr zusagt. Ich habe dich ausgesucht, weil ich sehe, wer du bist. Du legst Wert darauf, dass Leute dich respektieren und dass du als etwas Besonderes behandelt wirst, weil du ein reicher Unternehmer bist. Du erinnerst mich an mich selbst vor vielen Jahren. Ich möchte dir in deinen drei Wochen hier zeigen, wie wir die Dinge sehen. Damit das funktioniert, solltest du dich von deinen Denkmustern verabschieden und diese Dinge annehmen. Ob du sie gut oder schlecht findest, ist dabei egal. Du solltest sie nur für den Moment annehmen und kannst am Ende entscheiden, wie du damit umgehst. Bist du einverstanden?«

Ich stand also da, in der brütenden Sonne Thailands mit Tee im Schritt, bereit, mich allem zu stellen, und sagte geschlagen: »Okay.«

Der Lama nickte wohlwollend, stand auf und deutete mir an, ihm zu folgen. Wir liefen durch die große Empfangshalle, über den angenehm kühlen Steinboden und traten zum Eingang des Tempels hinaus. Der Temperaturunterschied war enorm. Wir liefen die lange Treppe hinunter, und ich merkte, dass ich meine Sandalen im Garten hatte stehen lassen. Das Gras und der kühle Steinboden waren barfuß sehr angenehm zu betreten, der unebene Pfad durch den Regenwald allerdings nicht. »Ich gehe schnell meine Sandalen holen«, richtete ich dem Lama aus, drehte mich um und wollte zurücklaufen. In diesem Moment fiel mir ein, dass ich gar nicht wusste, wie er hieß.

»Darf ich dich fragen, wie dein Name ist? Ich nenne dich immer Lama«, fragte ich ihn.

Der Lama lächelte und erwiderte: »Ich heiße Nathapong. Und Andreas«, unterbrach er meinen Versuch, zum Tempel zurückzulaufen, »du wirst keine Sandalen benötigen. Folge mir«, sagte er lächelnd und lief los.

Zweifelnd sah ich auf den Boden vor mir. Die Erde war zwar angenehm kühl, doch dort lagen unzählige spitze Steine sowie Äste und Früchte von den Bäumen.

Wir liefen also barfuß durch den Regenwald. Ich versuchte, so gut es ging, meine Fußsohlen zu schützen, indem ich verschiedene Schonhaltungen einnahm, während Nathapong, den Blick gen Horizont gerichtet, ohne Probleme über den Waldboden lief. Ich spürte jeden Stein, jeden spitzen Ast, und bemerkte, dass mein Fuß blutete.

»Ich glaube, ich brauche eine Pause«, rief ich Nathapong zu, der ungefähr zehn Meter vor mir lief. Es schien, als hörte er mich nicht, oder als wollte er mich nicht hören. Er setzte seinen Weg unbeirrt fort.

Ich verfluchte diesen Boden. Es war unglaublich anstrengend zu laufen, sodass der Abstand zwischen uns immer größer wurde. In weiter Ferne konnte ich schließlich beobachten, wie Nathapong stehen blieb. Ich schloss zu ihm auf und sah, dass er an dem Schild mit den beiden Pfeilen stand, welches ich bei meiner Ankunft gesehen hatte. Er lächelte zufrieden, als er sah, wie ich humpelnd auf ihn zulief. »War das nun meine Lektion? Dass ich mich nicht so anstellen und einfach wie du barfuß über diesen Boden laufen soll?«, fragte ich wütend und zeigte mit der offenen Hand nach unten auf meine blutenden Füße.

»Nein, Andreas«, lächelte er und fuhr fort: »Das Laufen ohne Schuhe ist einfach nur eine Sache der Gewohnheit. Weißt du, wieso du Schmerzen beim Gehen hast? Wieso du blutest?«

»Ja natürlich, weil hier verdammt viele spitze Steine liegen«, antwortete ich genervt und fühlte mich unbehaglich in der Rolle des Schülers.

»Der Grund ist nur hier oben zu finden, Andreas«, sagte er und tippte mir mit dem Zeigefinger gegen die Stirn.

»Du denkst, dass es schmerzen wird, und dann wird es auch schmerzen. Du denkst, dass es nicht möglich ist, unverletzt barfuß auf diesem Boden zu laufen. Dann ist es das auch nicht. Das, was du denkst, wird eintreten. Das ist die Macht deiner Gedanken. Aber dies erkläre ich dir zu einem späteren Zeitpunkt. Hier und jetzt möchte ich dir etwas anderes zeigen.«

Nathapong stand mittig vor dem Schild mit den beiden Richtungspfeilen und blickte hoch, indem er seinen Kopf leicht in den Nacken legte. »Was hast du hier gedacht, Andreas? An dieser Weggabelung?«, fragte er mich.

Ich erinnerte mich an die Situation vor einigen Tagen und fühlte erneut Wut und Missgunst. »Ich überlegte, welchen Weg ich wählen sollte, und entschied mich für den rechten, da dieser besser zugänglich aussah«, erwiderte ich. Nathapong antwortete: »Weißt du, nicht alles, was irgendwo niedergeschrieben ist, ist die ganze Wahrheit. Bist du an den linken Weg herangetreten und hast geschaut, was du dort vorfindest?«

Ich überlegte und empfand den Ratschlag als sinnlos.

»Wenn ich diesen Weg genommen hätte, Nathapong, hätte ich doch durch dieses beinahe undurchdringliche Dickicht laufen müssen und wäre noch mühsamer vorangekommen«, entgegnete ich.

Nathapong streckte seinen Arm mit der Handfläche gen Himmel, wies in Richtung des schmalen, zugewachsenen Pfades und sagte nur: »Dann geh und schau, Andreas. Der Fehler, den viele Menschen machen, ist, eine Entscheidung zu treffen, ohne alle Alternativen zu kennen. Die Menschen sind immer in Hektik und ziehen nur die Informationen für eine Entscheidung heran, die schnell und einfach verfügbar sind. Du hast in der Schule oder in deiner Kindheit gelernt, dass dich ein gut ausgebauter Weg komfortabler ans Ziel bringt. Nun geh und schau.«

Ich wischte mir mit der Hand den Schmutz unter dem Fuß weg und bemerkte, wie sich meine Handfläche von den vielen kleinen Wunden rot färbte.

Zu diesem Zeitpunkt war ich in einer Art Trotzphase. Ich wusste, dass ich etwas lernen könnte, aber der Sinn erschloss sich mir damals zu keiner Zeit.

Ich lief an dem Schild vorbei, schob mit meiner Hand einige Sträucher beiseite und betrat den linken Weg. Zu meiner Überraschung war der Weg von dichtem Gras besetzt, das eine wahre Wohltat für meine Füße war. Ich drehte mich zu Nathapong um, er folgte mir ausdruckslos auf dem schmalen Weg.

Nach wenigen Metern machte der Weg eine Kurve.

Nathapong lief dicht hinter mir. Auf einmal stand ich vor der Außenmauer des Tempels, an der gegenüberliegenden Seite zum Eingang. *Das gibt es doch nicht.* Ich war baff. Der schmale Weg hatte mich in nur wenigen Augenblicken zum Tempel geführt. Ich blickte zurück und sah in Nathapongs lächelndes Gesicht. »Mach dir keine Sorgen, Andreas, jeder

Besucher hat bisher den rechten Weg genommen, niemand lief hier entlang. Weißt du, wieso?«

»Nein«, murmelte ich verlegen, ergriffen von der Tatsache, dass ich nun hellhörig wurde. Ich hatte in meinem Leben schon viel gehört, viele Ratschläge bekommen, und im Endeffekt hatte ich es immer gemacht, wie ich es für richtig empfunden hatte.

»Als du mit deinem Gepäck mitten im Wald standest. Alleine. Ohne Orientierung. Da warst du sehr emotional, oder? Du warst wütend, richtig?«, fragte Nathapong.

»Ja, das war ich, ich konnte das Schild nicht entziffern, ich verstand die Sprache nicht, es war brütend heiß und niemand war da, um zu helfen«, antwortete ich.

»Genau. Merk dir: Entfliehe zuerst der Emotionalität. Sie hilft dir nicht, gute Entscheidungen zu treffen. Sie kann dir nicht helfen. Wut, Stress und Ärger sorgen für spontane Reaktionen, die du später manchmal bereust. Weißt du, wovon ich spreche?«, fragte er.

Das wusste ich und musste an die Situation denken, wie ich einen Angestellten feuerte. Mein Mitarbeiter kam unmittelbar nach dem Scheitern eines Großprojektes zu mir und bat um Sonderurlaub. Ich war wütend, weil die Maßnahme in letzter Sekunde an der Eigensinnigkeit meines Verhandlungspartners scheiterte.

In diesem Moment kam mein langjähriger Mitarbeiter mit der für mich unpassenden und respektlosen Bitte um Sonderurlaub. Wenige Stunden später bereute ich diese Entscheidung zutiefst und stellte ihn wieder ein.

Nathapong legte nach: »Im Leben passieren nun mal Dinge, Andreas. Schöne Dinge und weniger schöne Dinge. Leben ist Leiden. Das gehört einfach dazu. Wie du damit umgehst, darauf kommt es an. Du standest mitten im Wald, vollbepackt, schwitzend und erschöpft, richtig? Du warst wütend, weil es zu heiß war. Du warst wütend, weil du nicht wusstest, welchen Weg du gehen solltest. Du warst wütend, weil niemand da war, der dir helfen konnte. Ich sage dir nun, wie du mit diesen Situationen umgehen kannst. Wie du im Auto nicht wütend wirst, wenn du in einen Stau gerätst. Wie du im Urlaub nicht wütend wirst, weil es regnet. Das kannst du immer anwenden.«

Ich schaute ihn gebannt an und war froh, dass er mir anstelle von spirituellen Weisheiten nun endlich mal praktische Tipps geben würde.

»Das Geheimnis ist, Dinge zu erkennen, die dich emotional werden lassen. Dinge anzunehmen, die dich emotional werden lassen. Und dies einfach geschehen zu lassen. In einer Situation solltest du nicht mehr sagen: „Oh Scheiße, die Verhandlung geht schief.“ Du solltest sagen: „Okay, ich spüre, wie die Verhandlung schiefgeht. Ich fühle mich durchaus niedergeschlagen.“ Verstehst du, was ich meine?«

Nein. Das verstand ich nicht und blickte ihn fragend an.

Er fuhr fort: »Nur wenn du erkennst, was dich emotional werden lässt, kannst du es ändern. Wenn du nicht einmal bemerkst, was der Grund ist, wie willst du es dann ändern? Ich sagte dir gestern, dass deine Gedanken wichtig sind, richtig? Lass es mich erklären. Das, was du denkst, erzeugt Gefühle, deine Gefühle erzeugen Handlungen, deine Handlungen formen deinen Charakter und dein Charakter bestimmt deine Zukunft im Sinne des Karmas. Im Prinzip, Andreas, bestimmst du mit deinen Gedanken, wie deine Zukunft aussieht. Mein Lama sagte mir damals, dass ein kleines Lächeln heute ein kleines bisschen lächelnde Zukunft bedeuten würde. Dein Spiegelbild zieht nach. Immer. Es kann aber nicht lächeln, bevor du nicht lächelst. Es wird auch nur weinen, wenn du weinst. Es wird nur wütend, wenn du zuerst wütend wirst. Nun stell dir vor, du stehst an dieser Weggabelung. Du weißt nicht, wohin du gehen sollst. Du verstehst die Sprache nicht, die auf dem Schild steht. Warum wirst du wütend? Kannst du diese Situation ändern? Nein, wie willst du sie ändern? Sie ist eben passiert. Was du aber ändern kannst, ist deine emotionale Reaktion darauf. Erkenne, was dich wütend werden lässt, und du wirst sehen, wie leicht das Leben wird.«

»Aber wie löst sich die Situation dann positiv für mich auf? Es ist doch eine Scheißsituation, oder etwa nicht?«, fragte ich, mit seiner Erklärung absolut nicht einverstanden.

»Ja natürlich. Wie ich sagte, Dinge passieren, ob du das möchtest oder nicht. Das passiert auch den reichsten Menschen der Welt. Auch sie können die karmischen Gesetze nicht überwinden. Die Situation an sich wird sich nicht positiv auflösen. Worum es geht, ist deine Einstellung dazu. Du darfst natürlich mit Situationen unzufrieden sein und dir vornehmen, sie zu ändern, das solltest du auch.

Akzeptanz bedeutet ein klares OK zu der Situation, in der du gerade bist, vierundzwanzig Stunden am Tag, egal was ist. Denn die Situation ist doch bereits so, wie sie ist, verstehst du das, Andreas?«

Ich verstand es tatsächlich.

Er fuhr fort: »Warst du einmal in einer Situation, die du so gar nicht leiden konntest? Die du einfach nicht hinnehmen konntest?«

»Ja klar, schon relativ oft«, sagte ich.

»Was hast du in dieser Situation gemacht?«

»Na ja, ich habe mich dagegen gesträubt, versucht, eine Lösung zu finden, denn ich wollte sie ja nicht haben. So war es beispielsweise, als meine Tochter im Alter von vierzehn Jahren ausziehen wollte. Das wollte ich auf keinen Fall dulden. Sie war eindeutig zu jung.«

Nathapong nickte. »Das verstehe ich. Was ist aus dieser Situation geworden?«

»Also, sie bestand darauf auszuziehen, egal wie sehr ich mich aufregte. Sie sprach es täglich an, stachelte ihre Mutter und ihre Freunde gegen mich auf. Am Ende entschied ich es einfach, da sie minderjährig war.«

Nathapong antwortete: »Der Großteil des Leids, den wir als Menschen erfahren, resultiert in der Auflehnung gegenüber Dingen, die uns nicht gefallen. Wir kämpfen dagegen mit allen Mitteln, die wir haben.«

Ich überlegte kurz und antwortete: »Aber es ist doch meine Pflicht, mich aufzulehnen, wenn ich etwas bemerke, das in meinen Augen unrecht ist.«

Nathapong musterte mich und nickte. »Das ist es. Gewaltfrei. Natürlich sollten wir Missstände nicht einfach hinnehmen, dafür kämpfe ich mein ganzes Leben. Aber ich meine etwas anderes. Es geht um dich als Person. Es geht um die Gefühle, die gewisse Situationen in dir erzeugen. Du ärgerst dich über Menschen, die deinen Überzeugungen nicht gerecht werden. Aber wer trägt diese Last? Du oder die anderen? Du allein. Du bist traurig, wenn du von dem Verlust deiner Familie erzählst. Du lehnst dich gegen etwas auf, was bereits passiert ist. Kannst du mir folgen?«

Ich nickte kurz und war unsicher, wohin diese Unterhaltung führen würde.

Nathapong ergänzte: » Stell dir folgende Situation vor. Du bist in einer Besprechung mit deinem Mitarbeiter, und er erzählt dir, dass er sich an seinem Arbeitsplatz nicht wertgeschätzt fühlt. Du fragst ihn, was der Grund sei, und er antwortet, dass du keine Zeit für ihn hast und ihn kaum wahrnimmst. Dass du immer nur mit seinem Vorgesetzten sprichst. Ich kenne diese Situation. Du bist wütend und denkst, dass du wichtigere Aufgaben hast und eindeutig zu wenig Zeit, um mit jedem deiner zahlreichen Mitarbeiter in engem Austausch zu stehen. Was nützt es dir in diesem Moment, wütend zu sein?«

Ich blickte ihn an und fand keine Worte.

Nathapong sagte: »Du befindest dich in einem Kreislauf. Wenn dein Mitarbeiter nicht so reagiert, wie du es dir wünschst, lehnst du dich dagegen auf. Du wirst wütend. Das führt dazu, dass du dieses Muster noch tiefer in dein Herz geleitest. Jeder Situation, die dieser ähnelt, wird dich in dasselbe Gefühl versetzen. Dieses Gefühl gelangt erneut tiefer in dein Herz. Ich verspreche dir, es wird kein Tag auf dieser Erde vergehen, wo du mit allem zufrieden bist, was um dich herum passiert. Jeder Mensch hat eigene Vorstellungen, und dein Mitarbeiter hat in diesem Moment doch dasselbe Gefühl. Dass du nicht seinen Vorstellungen entsprechend reagierst. Ihr beide lehnt euch gegeneinander auf. Wem ist damit geholfen? Niemandem. Richtig? Wenn ich mich täglich über die teilweise schlimmen Dinge aufregen würde, die in meinem Land passieren, hätte ich keinen freien Gedanken mehr. Es werden Menschen ermordet. Ermordet aufgrund ihrer Herkunft oder ihres Glaubens. Kann ich es in diesem Moment ändern? Nein, leider nicht. Aber dann darf ich nicht wütend werden. Ich darf mich nicht auflehnen, sonst lasse ich unreine Gedanken in mein Herz und vergifte mich selbst. Alles, was du in solch einer Situation machen kannst – und ich weiß, dass es unmöglich zu sein scheint –, ist, dir selbst zu sagen: „Vielleicht muss es genau so sein".«

Was für ein tolles Beispiel, da hat er recht, kam es mir in den Sinn. »Ja, das leuchtet mir ein. Nur was ist, wenn ich wirklich mal Probleme habe? Wenn etwas wirklich Schlimmes passiert?«

Nathapong lächelte, schob seine Hände unter das Gewand und lief an mir vorbei. Ich folgte ihm wortlos. Wir setzten uns erneut auf die steinerne Bank. Er begann leise, aber sehr bestimmt zu sprechen: »Andreas, was war dein letztes Problem, das du hattest?«

Ich schaute kurz gen Himmel und antwortete: »Ich denke, die Tatsache, dass mein Handy hier keinen Empfang hat und ich nicht in meiner Firma anrufen kann.«

»Dann ist das dein Verschulden, Andreas«, erwiderte er. Ich runzelte die Stirn und schüttelte leicht den Kopf.

Was für ein Unsinn, welche Verantwortung habe ich an dem mangelhaften Ausbau des Handynetzes?, dachte ich mir und war gespannt, was er dazu sagen würde.

»Du hast keinen Handyempfang und hast es zu einem Problem gemacht. Denk an meine Geschichte von eben. Wem hilft es, sich darüber zu empören? Verschwindet das Problem dadurch? Oder sorgt es lediglich für vergiftete Gedanken? Ist es für mich ein Problem, dass es hier keinen Handyempfang gibt? Nein, ich habe kein Handy. Wir beide sind doch aber in derselben Situation, oder?«

Seine Worte waren so einleuchtend und doch so schwer nachzuvollziehen. Ich saß auf dieser Bank mitten im Regenwald und hörte Dinge, die mir nie zuvor ein Mensch gesagt hatte. Ich hatte Tausende Fragen, doch konnte in diesem Moment keine einzige formulieren.

Er sah mich eine Weile an und sagte dann: »Andreas, wenn dich eine Situation stört, kannst du Folgendes tun. Das gilt für alle Situationen, in denen du denkst, dass dir etwas nicht passt. Wende dich nach innen. Spüre, was du im Moment größter Brüskierung fühlst. Wenn du dich ärgerst, dass du keinen Handyempfang hast, dann spüre, dass du dich darüber ärgerst. Lass es zu. Nun begrüße dieses Gefühl. Denn es ist ja sowieso in dir, lehne es nicht ab. Umarme es und halte es ganz nah bei dir. Nun spüre, wie dieses Gefühl entstanden ist, schau auf die Ursache deines Gefühls. Im letzten Schritt versuchst du den Zusammenhang zwischen Ursache und Gefühl zu ermitteln. Erdenke dir eine Möglichkeit, wie du in kommenden, ärgerlichen Situationen anders auf eine Ursache reagieren kannst. Wenn du dieses Schema in jeder Situation anwendest, in der du wütend wirst, veränderst du dein gesamtes Leben. Das verspreche ich dir.«

Ich blickte ihn an und erkannte, dass er recht hatte. Ich wusste nicht, ob sein Ansatz funktionieren würde, aber ich stimmte ihm zu, dass die Gefühle in solchen Situationen ohnehin vorhanden waren. Ich nahm mir vor, es auszuprobieren.

Nathapong sah, wie ich in Gedanken vertieft war, und ließ mich eine Weile abschweifen. Dann sagte er: »Gib nicht den Ursachen die Schuld. Ursachen sind die Grundlage des Lebens. Ursachen haben immer eine Wirkung. Wie du auf etwas reagierst, ist ganz dir überlassen. Bedenke immer, dass auch unsere Gedanken ein Karma erzeugen. Alles in dieser Welt, was du tust, sagst, denkst, unterlässt, erzeugt Karma. Wenn du also deine Gefühle regulieren kannst und weniger emotional auf etwas reagierst, erzeugst du deutlich angenehmeres Karma.«

Dies war der Punkt auf meiner Reise, an dem ich Nathapong mit einer ganz anderen Einstellung gegenübertrat. Es machte einfach alles Sinn, und er lebte es mir vor. Er war glücklich, das sah ich in jeder Sekunde mit ihm. Von diesen Momenten, die mir wortwörtlich den Atem verschlugen, sollte es noch einige geben.

Es war spät geworden und wir begaben uns langsam zum Abendgebet. Auf dem Weg hinein in den Tempel wandte ich mich an Nathapong: »Eine Frage habe ich noch. Was steht auf dem Schild im Wald geschrieben, an dem ich stoppte und mich für eine Richtung entscheiden musste?«

Nathapong lachte: »Neben dem linken Pfeil seht „kürzester Weg zum Tempel", und neben dem rechten steht „Umweg zum Tempel".«

Ich musste lachen und sagte: »Hätte ich mal direkt den linken Weg genommen. Aber gut, das Leben ist nicht immer gerecht.«

Nathapong blieb kurz stehen und erwiderte: »Das Leben ist sehr gerecht, Andreas. Es ist nur nicht zufriedenstellend. Es passiert immer genau das, was dir in einer bestimmten Situation hilft. Das, was dir helfen kann, eine bestimmte Situation zu meistern, deine Lektionen zu meistern. Das Leben ist aber nicht zufriedenstellend. Das heißt, um dich auf den richtigen Weg zu bringen, wird das Leben dir nicht nur süße Bonbons vor die Füße werfen. Manche Situationen sind unbefriedigend, wir verstehen sie nicht. Wir denken, dass uns das Universum etwas Böses möchte. Das Universum ist aber nicht böse, es ist auch nicht gut. Es ist einfach vorhanden und reagiert auf dich. Es sind Aufgaben. Möglichkeiten, um uns zu entwickeln. Und so sollten wir sie ansehen. Wie oft hattest du in deinem Leben eine Situation, wo du dachtest, dass sie sehr unpassend und ärgerlich sei?«

Ich erwiderte: »Na ja, das kam schon häufiger einmal vor.«

»Und wie oft hat sich diese auf den ersten Blick ärgerliche Situation als größter Gewinn herausgestellt?«

Ich musste nachdenken und antwortete: »Das gab es tatsächlich einmal. Aber das liegt ja daran, wie gut ich sie meistere, oder?«

Nathapong sah mich an und sagte: »Es liegt vor allem daran, dass du sie erkennst. Dass du sie als weiteres Puzzlestück zu deiner Vervollkommnung annimmst. Wir wissen doch nie, was passieren wird, richtig? Aber indem wir jede Situation mit dem unbeirrbaren Glauben annehmen, dass sie uns hilft, wird das Leben um ein Vielfaches leichter.« Nathapong lachte zufrieden, und ich spürte, dass er genau so handelte und es noch immer tut.

»Wir werden morgen einen kleinen Ausflug unternehmen und ich werde dir etwas mehr Klarheit verschaffen.«

Dies war das Letzte, was ich an diesem Tag von ihm hörte. Nach dem Abendgebet legte ich mich ins Bett und dachte über mein Leben nach. Ich begriff, dass er recht hatte. Für all meine negativen Gefühle von Ärger und Wut war ich selbst verantwortlich. Diese Einsicht war einerseits so befreiend, dass ich beschloss, spätabends noch spazieren zu gehen. Die Energie musste einfach raus. Auf der anderen Seite machte ich mir Vorwürfe, dass ich dies nicht früher eingesehen hatte.

Zu diesem Zeitpunkt dachte ich zu keiner Sekunde an mein Handy, an meine Firma und an mein Zuhause. Ich fühlte mich befreit, glücklich, aber auch unsicher. Diese Nacht am vierten Tag meines Aufenthalts war die erholsamste, die ich bis dahin jemals erlebt hatte.

VIII

AM NÄCHSTEN MORGEN wachte ich vor dem lauten Gong auf und schaute auf meine Uhr. Noch fünfzehn Minuten Zeit bis zum Morgengebet. Ich blieb im Bett liegen und lauschte den Geräuschen der Natur, die durch das geöffnete Fenster in mein Zimmer drangen. *Ich werde Nathapong heute mitteilen, dass ich zum Café möchte, um in meiner Firma anzurufen,* beschloss ich. Das Morgengebet empfand ich mittlerweile als äußerst angenehm, und ich merkte, wie sehr es mich beruhigte.

Ich war noch immer der einzige Novize, allein im Regenwald mit fünf Mönchen und Nathapong, den ich irgendwie nicht als traditionellen Mönch sah, sondern eher als eine Art Mentor und Begleiter, der auch meine Welt erlebt und ihr entsagt hatte. Er konnte in jedem Moment nachvollziehen, wie es mir ging.

Unser Weg führte uns auch an diesem Tag hinunter ins Tal zu den Einheimischen. Wie jeden

Tag wurden wir freudestrahlend empfangen und es wurde reichlich Essen gespendet. Auf dem Rückweg fragte ich Nathapong: »Wo wird unser Ausflug denn heute hingehen? Und dürfen Mönche überhaupt mit dem Auto fahren?«

Nathapong sah mich an, und ich bemerkte, wie er sich das Lachen verkniff: »Ja, natürlich dürfen wir im Auto fahren. Im Bus haben wir sogar eine eigene Sitzreihe, ganz hinten. Wir fahren heute tief in den Dschungel.«

»Verstehe«, sagte ich, »darf ich dir noch eine Frage stellen, die mich seit unserer Ankunft beschäftigt?«

»Andreas, du darfst mir jede Frage stellen, die dir in den Sinn kommt.«

»Warum hast du keine Matratze auf dem Bett?

Schläfst du wirklich auf dem harten Bettgestell?«

Nathapong lachte: »Ja, das tue ich. Ich glaube, dass gerade dieser Verzicht die Grundlage für ein glückliches Leben ist. Wenn sich jeder Mensch auf der Erde diese Frage stellen würde, wären wir alle zufriedener, glücklicher und es gäbe deutlich weniger Armut. „Brauche ich das wirklich?" Das ist die ganze Geschichte hinter meiner fehlenden Matratze und vielen anderen Dingen, die ich für mich als nicht wichtig deklariere. Ich strebe ständig nach dem Zustand, noch weniger zu besitzen. Es befreit meine Gedanken.«

Sein Gleichmut, seine unglaubliche Präsenz und der Anflug von etwas Mystischem beeindruckten mich seit unserer ersten Begegnung. Ich hatte in fünf Tagen mehr über das Leben gelernt als in den ganzen fünfzig Jahren zuvor.

Das Frühstück und die anschließende Säuberung des Tempels kannte ich bereits. Ebenfalls die darauffolgende Meditation. Mittags saß ich auf der steinernen Bank im Garten und dachte noch immer an die Worte Nathapongs vom Vortag.

»Bereit, Andreas?«, riss Nathapong mich in diesem Augenblick aus meinen Gedanken. Der Ausflug sollte beginnen.

»Ist es möglich, dass wir kurz unten am Café haltmachen? Ich möchte gerne in meiner Firma anrufen und hören, ob alles in Ordnung ist«, fragte ich ihn.

»Ja, natürlich«, erwiderte er. Diese Antwort hatte ich nicht erwartet, ohne sagen zu können, warum.

Wir liefen den schmalen Weg entlang bis zu dem Punkt, an dem der Bus mich abgesetzt hatte. Dort stand bereits ein älterer Toyota mit einer Frau am Steuer. Auf dem Armaturenbrett standen unzählige goldfarbene Buddhafiguren. Eine kleine, vielleicht einen Meter fünfzig große Thailänderin stieg aus und verbeugte sich vor uns. Wir nahmen beide auf der Rückbank Platz, um sie nicht zu berühren. Nathapong unterhielt sich mit ihr auf Thailändisch. Ich verstand kein Wort, bemerkte aber, dass sie am Café rechts ranfuhr.

Ich stieg aus und sah auf mein Handy. „Suche Netz …“ stand auf dem Display. Und da war er. Handyempfang. Ich strahlte. Im nächsten Moment blinkte mein Display unaufhörlich. Drei verpasste Anrufe, alle von einer unbekannten Rufnummer, hundertvier neue E-Mails. Ich öffnete den Ordner für die E-Mails und überflog die eingegangenen Nachrichten. Hinter mir warteten Nathapong und unsere Fahrerin geduldig im Auto. Jede E-Mail hatte „fyi“ im Betreff stehen. *For your interest?,* dachte ich und öffnete eine E-Mail. Neuer Auftrag. Dann die nächste. Neuer Auftrag. Dies ging in einem fort so weiter, und ich konnte es kaum glauben. Ich spürte, wie zufrieden ich mit der Situation war, und begann Lindas Nummer zu wählen.

»Guten Morgen, Andreas«, ertönte es aus dem Lautsprecher. Ich konnte ihr Strahlen durch das Telefon hören.

»Linda, hallo«, antwortete ich, »sagen Sie mal, ich habe so gut wie keine Anrufe bekommen, und meine E- Mails sind voller neuer Aufträge. Ich habe hier im Tempel keinen Empfang und kann nur ab und zu mal reinschauen. Ich habe es überflogen, und das müssen ja …«

Linda unterbrach mich: »Das sind siebenundsiebzig neue Aufträge mit einem Volumen, das dieses Quartal bereits jetzt zum erfolgreichsten der Firmengeschichte macht. Sie haben keine Anrufe, weil wir hier super zurechtkommen. Alles läuft ganz wunderbar. Sie sollten sich erholen und sich keine Gedanken machen.«

Ich war erstaunt und wusste nicht, was ich sagen sollte. »Das … Das ist ja wunderbar«, versuchte ich meine Gefühle auszudrücken.

Linda antwortete: »Andreas, machen Sie sich keine Sorgen. Sie können jederzeit anrufen und nach dem Rechten fragen, doch wir haben alles im Griff. Wie versprochen. Ich mache mich nun auf den Weg in die Firma. Erholen Sie sich gut und kommen Sie gesund zurück.« Linda hatte aufgelegt.

Wie versprochen? Besser als versprochen, dachte ich und überlegte, ob es im Endeffekt doch eine gute Entscheidung war, in den Urlaub zu fliegen. Laut Nathapongs gestriger Erklärung weiß man es im Moment der Entscheidung nicht. Hätte ich damals Vertrauen in die Entscheidung gehabt, nach Thailand zu fliegen, hätte ich mir viel Kummer, Aufregung und Wut ersparen können. Ich spürte, dass Nathapong mit seiner gestrigen Erklärung absolut recht hatte.

Verdutzt, perplex und merkwürdig ruhig stieg ich zurück ins Auto.

Nathapong sah mich an und sagte: »Es freut mich, dass in deiner Firma alles läuft.«

»Wie kommst du darauf?«, fragte ich erstaunt.

»Manche Menschen, Andreas, sehen Dinge, die andere Menschen nicht sehen. Und ich sehe, dass alles okay ist.«

Ich lächelte höchst zufrieden und merkte, wie meine komplette Anspannung auf einmal verflogen war. Dieses Gefühl hatte ich so noch nie erlebt. Zu diesem Zeitpunkt freute ich mich riesig auf den bevorstehenden Ausflug. Ich kann es heute nicht erklären, aber damals fühlte ich einfach, dass es genau das war, was ich in diesem Moment tun wollte. Von der Fahrt weiß ich heute gar nichts mehr. Ich fühlte mich komplett befreit und war in einem Zustand, den Nathapong wohl Meditation genannt hätte.

Nach nicht ganz zwei Stunden stoppte unsere Fahrerin das Auto am Meer. Wir waren am Golf von Thailand. Nathapong und ich verabschiedeten uns von der Fahrerin und liefen Richtung Meer. Die heiße, aber frische Meeresluft war sensationell. Ich spürte auf einmal, wie sehr positive Gedanken mich beeinflussen konnten. *Wenn das immer funktioniert, bleibe ich dabei,* sagte ich lachend zu mir selbst.

Wir steuerten auf eine Fähre zu, die uns etwa dreißig Minuten lang über den Ozean fuhr. Am Ziel angekommen las ich auf einem Schild „Khao Yai". Von dort aus fuhren wir mit dem Bus. Die letzte Reihe war tatsächlich nur für Mönche reserviert. Ich gehörte anscheinend dazu. Als wir einstiegen, senkten die Menschen ehrfürchtig ihre Köpfe und begrüßten uns mit dem Wai. Wir fuhren einige Minuten bis zum Nationalpark. Nathapong und ich liefen in den dichten Regenwald, und nach einiger Zeit wurde es dunkel. Nicht aufgrund der Tageszeit, sondern wegen der sehr dichten Vegetation. »Was machen wir hier, Nathapong?«, fragte ich.

»Wir schauen uns an, was die Natur uns lehren kann«, antwortete er mir.

Wir liefen also ungefähr eine Stunde durch den dichten Regenwald, und schon bald war mein Gewand nass geschwitzt. Nathapong schwitzte sichtbar überhaupt nicht. Sein Blick ging immer in Richtung Horizont, während ich gebannt und fasziniert in jede Himmelsrichtung blickte. Die Farben waren beeindruckend, die Größe der Pflanzen erstaunlich. Auf einmal bewegte er seinen Arm schnell vor meine Brust, um mir zu signalisieren, dass ich stoppen sollte.

»Was?«, flüsterte ich.

Er bewegte den Arm langsam nach vorne, und sein Finger zeigte auf eine kleine Lichtung. Ich drehte meine Handflächen gen Himmel, um ihm zu signalisieren, dass ich nichts sah. Er sagte kein Wort und deutete wieder nur mit dem Finger auf die kleine Lichtung. Dann sah ich es. Mein Herz rutschte in die Hose und wollte in diesem Moment aus meinem Hals springen. Ein riesiger Tiger lag regungslos in der Mitte der kleinen Lichtung, alle viere von sich gestreckt und augenscheinlich schlafend. Ich musste meinen Mund öffnen, um meinen Bedarf an Sauerstoff zu decken. Ich atmete sehr schnell, regungslos vor Angst.

Verdammt noch mal, ein Tiger, schoss es mir in den Kopf. *Wir müssen hier weg.* Er lag nur ungefähr dreißig Meter von uns entfernt. Ich zog Nathapong leicht am Gewand und wies mit meinem Kopf hektisch in die Richtung, aus der wir gekommen waren. Er schüttelte nur sanft den Kopf und flüsterte mir ins Ohr: »Sieh genau hin, beobachte ihn. Keine Sorge.«

Ich sah hin. Total ruhig und entspannt lag er auf der Seite in der prallen Sonne. Die vier Tatzen hatte er nach vorne ausgestreckt und der Schwanz schlug ab und zu sanft auf den staubigen Boden. Ich war fasziniert und dachte nur: *Wenn der aufwacht, war es das.* Um seinen Kopf flogen unzählige Insekten, kleine Mücken, große Mücken und sehr große Mücken. Es schien ihn nicht zu stören. Ich schaute ihm gebannt zu, wie er regungslos dalag. Auch Nathapong ließ seinen Blick nicht von ihm abschweifen. Nach gefühlt zwanzig Minuten deutete er mir an, dass es nun Zeit sei umzukehren.

Ich war erleichtert und irgendwie stolz, so ein wundervolles Tier in freier Wildbahn erlebt zu haben. Auf dem Rückweg dirigierte mich Nathapong zu einem kleinen Bach, vielleicht einen halben Meter breit. Er wies mich an, mich auf einen Stein zu setzen und das Wasser zu beobachten. Er tat es mir gleich.

Nach einiger Zeit fragte er: »Wie hat dir der Tiger gefallen?«

Ich erinnerte mich an die eben erlebte Situation, musste schlucken und antwortete: »Gigantisch. Ein wirklich majestätisches Tier, dennoch war mir nicht sehr wohl in seiner Nähe.«

Nathapong nickte nur, und wir schauten beide weiter auf das Wasser, das sich konstant fließend einen Weg das kleine Gefälle hinunter suchte. Nach einigen Minuten spürte ich Einstiche am Hals. Moskitos setzten sich auf meinen Hals und meine Arme. Ich schlug sie weg, sprang wild umher und versuchte ihren gierigen Saugrüsseln auszuweichen. Nathapong saß seelenruhig neben mir und sah mir belustigt zu. Auf seinen Armen und Beinen saßen keine Moskitos, und generell flogen nur einige wenige um ihn herum. Ich dagegen war übersät von den lästigen Tieren. Als ich erneut meine Hand erhob und einem Moskito auf meinem Oberarm ein gnädiges Ende bereiten wollte, sagte Nathapong: »Warte, Andreas.«

Ich sah ihn an und senkte langsam meine Hand. Er bat mich, aufzustehen und aus dem dichten Regenwald in Richtung Ausgang zu laufen.

Zurück am Eingang des Parks setzten wir uns auf eine Bank. Die Anspannung fiel schlagartig von mir ab und ich wurde sehr müde. Wir saßen eine Weile schweigend auf der Bank, dann fragte Nathapong: »Was denkst du, Andreas, was wollte ich dir zeigen?«

Ich war zu müde und zu erschöpft, um nachzudenken, und antwortete: »Einen schlafenden Tiger und verdammt lästige Mücken«.

Nathapong lächelte und sagte: »Ja, richtig. Das, was du eben gesehen und erlebt hast, beschreibt die große Engstirnigkeit vieler Menschen.«

Das verstand ich nicht, und ich blickte ihn fragend an.

»Was unterscheidet den Tiger von den Moskitos?«, fragte er.

»Na ja, die Größe sicherlich, der Tiger ist ein wunderschönes Raubtier und die Moskitos einfach lästig.«

Nathapong blickte mich an und erwiderte: »Genau. Das ist die vorherrschende Meinung. Nun stell dir vor, du würdest als Tiger oder Moskito wiedergeboren werden. Was würdest du dazu sagen?«

»Als Tiger oder Moskito?«, fragte ich ungläubig. Ich dachte, Menschen können nur als Menschen wiedergeboren werden, um ihre Aufgabe zu erledigen. Ein Leben als Tiger könnte ich mir durchaus vorstellen, aber ein Moskito? Nein, bitte nicht.«

Nathapong antwortete: »Ich weiß nicht, ob wir als Tier wiedergeboren werden können. Und du weißt es nicht. Wir können es nicht wissen. Aber wir glauben daran. Was wäre wenn? Wie würdest du es finden, wenn deine Umwelt auf dich einschlägt, dich verflucht und dich ohne Rücksicht töten möchte?«

Ich überlegte und antwortete: »Das wäre natürlich nicht toll. Aber habe ich als Moskito überhaupt eine Seele oder ein Empfinden?«

Nathapong drehte sich gänzlich zu mir und sagte: »Warst du einmal in einem Tigerpark? Oder einem Zoo? Oder hast du im Internet gesehen, wie Menschen ein Tier quälen?«

»Ja, schon,« erwiderte ich, ratlos, worauf er hinauswollte.

»Wie haben diese Tiere für dich ausgesehen? Glücklich?«

Ich schüttelte den Kopf. »Nein, sie haben gequiekt und wirkten verletzlich.«

Nathapong nickte. »Wenn sie quieken, sich wehren und mit Schreien auf Misshandlungen reagieren, was denkst du? Haben sie Gefühle? Sind sie fühlende Wesen?«

Ich nickte. Nathapong fuhr fort: »Wenn du den Moskito eben mit deiner Handfläche erwischt hättest, was hätte er gefühlt?«

Ich blickte ihn an und erwiderte: »Wenn er nicht gestorben wäre, könnte es sein, dass er Schmerzen gehabt hätte.«

Der Mönch nickte, und ich fühlte ich mich schlagartig unwohl. *Wieso habe ich das getan? Warum wollte ich dieses arme Tier töten?*

Nathapong blickte mich an und sah auf den Parkplatz, der von uns lag. Dort standen einige Autos und drei große Touristenbusse. Viele Ausländer liefen auf dem Parkplatz umher, rauchten, redeten sehr laut und machten Fotos mit ihren Kameras.

»Was denkst du, Andreas, wie vielen Menschen hier auf diesem Parkplatz ist die Pflicht bewusst, die mit der Geburt als Mensch einhergeht?«

Ich blickte zweifelnd auf den Parkplatz und musste nachfragen. »Welche Pflicht meinst du?«

Nathapong erhob sich und stand nun wie ein Lehrer vor mir. Wie ein toller Lehrer. Ohne Anschuldigungen, ohne Lerndruck. Mit voller Begeisterung für seine Themen. Ich denke, das ist der Grund, warum ich sie bis heute behalten habe.

Er sagte: »Du hast als Mensch nicht das Recht, andere Lebewesen als minderwertig zu behandeln. Ein Moskito ist exakt so wertvoll wie ein Tiger. Und exakt so wertvoll wie du. Weißt du, das Privileg, als Mensch geboren zu sein, ist bedeutsam. Das bedeutet, du hast genügend positives Karma gesammelt, um die Aufgaben eines Menschen zu erfüllen. Du hast die Möglichkeit, ins Nirwana einzutreten. Das haben Tiere nicht. Demnach sollten wir sehr dankbar sein, in dieser Reinkarnation zu leben. Nein, wir haben absolut kein Recht, Tiere zu töten oder zu quälen. Wir haben die Pflicht eines Menschen, Tiere als fühlende Wesen zu betrachten und zu behandeln. Weil wir es können, weil wir es besser wissen sollten. Weil wir Menschen sind.«

Ich blickte ihn an und musste zustimmen. »Warum essen denn dann einige Mönche trotzdem Fleisch?«

Nathapong lachte kurz und erwiderte: »Buddhistische Mönche sind nicht perfekt. Niemand ist perfekt. Stell dir vor, ich setzte mich im Garten auf die steinerne Bank. Beim Hinsetzen würde ich sicherlich einige Tiere töten. Unabsichtlich. Aber es wäre durch mich geschehen. Beim Einatmen würde ich kleine Tiere inhalieren. Das lässt sich nicht immer vermeiden. Wichtig ist die Einstellung. Die Achtsamkeit. Den Fokus darauf zu setzen, dass Mensch und Tier gleichsam fühlende Wesen sind. Als Buddhist ist es meine Aufgabe, kein anderes Lebewesen zu verletzen. Und nun wird es wichtig.«

Er setzte sich, blickte mir in die Augen und fuhr fort: »Das gilt nicht nur für deine Taten. Es gilt ebenso für deine Worte. Es gilt sogar für deine Gedanken. Wenn du diesen Moskito vorhin verflucht hast und ihn gedanklich getötet hast, hast du in dieser Situation negatives Karma angehäuft. Du weißt, das Leben ist tiefer, als wir es mit unseren Augen wahrnehmen können. Viel tiefer. Also dürfen wir keinem Tier, keiner Pflanze, keinem empfindsamen Lebewesen Gewalt antun, darüber sprechen oder gar daran denken. Und wir sollten dafür sorgen, dass auch andere so handeln. Wir können die Welt nicht alleine retten. Aber wir können unsere eigene Welt ein Stück besser machen. Wie der Buddha sagte: „Der Weg liegt nicht im Himmel, der Weg liegt im Herzen“.«

Ich liebte seine Zitate und denke noch heute bei jeder Situation, die mir widerfährt, an dieses Zitat. Schon der Gedanke, einem anderen Menschen oder Tier schaden zu wollen, führt uns lediglich weiter ins Abseits und entzweit die Menschheit noch mehr.

»Ich möchte dir noch eine Sache zeigen, folge mir bitte«, sagte Nathapong.

Wir liefen einige Meter über den Parkplatz, der sich stetig füllte. Am Rande des Parkplatzes stand ein riesiger Baum. Ein großer Elefant stand daneben unter einem Sonnenschutz aus Holz. »Sieh dir den Elefanten an, Andreas, was fällt dir auf?«

»Na ja, er ist recht groß und anscheinend eine Art Attraktion für die Touristen. Ich bin gegen eine solche Tierquälerei, wenn du darauf hinaus möchtest.«

»Womit wird er denn gequält?«, fragte Nathapong

Dann sah ich es. Der Elefant hatte keinerlei Ketten, die ihn an dem Baum hielten. Er stand dort augenscheinlich aus freiem Willen.

Nathapong sagte: »Dieser Elefant wurde nach seiner Geburt für einige Zeit an diesen Baum gekettet, er verlässt diesen Platz nie wieder.«

Ich schaute ihn fragend an. »Wieso geht er nicht?«

»Nach der Geburt versuchte der Elefant natürlich, sich von den Ketten zu befreien. Aber er war zu schwach und zu klein. Heute wäre er stark genug, doch er versucht es nicht mehr. Die unsichtbaren Ketten halten ihn an seinem Platz, und er hat gelernt, dass er diesen nie mehr verlassen kann. Hier siehst du das Prinzip der Gewohnheit. Die Ketten der Gewohnheit sind zu leicht, um sie wahrzunehmen, bis sie zu schwer werden, um sie zu zerreißen. Der Elefant hat gelernt, dass dies sein Platz ist, und dazu muss er nicht mehr angekettet sein. Dieses Beispiel kannst auch du auf dein Leben anwenden. Überlege dir einmal, welche Gewohnheiten du hast, die im Endeffekt gar nicht gut für dich sind? Die du aber dennoch beibehältst, weil du es nicht anders gelernt hast. Jeder Mensch entwickelt Gewohnheiten, die sind wichtig, um das Leben leben zu können.«

Ich sah ihn an und fragte: »Wie meinst du das?«

Nathapong erwiderte: »Schließe einmal deine Augen und sag mir, was du hörst.«

Ich schloss meine Augen und lauschte der Umgebung. Nathapong berührte mich sanft an der Schulter und gab mir damit zu verstehen, dass ich meine Augen wieder öffnen könne.

Er blickte mich an und erwartete meine Antwort.

»Ich habe den Bus dort gehört, wie er über den Schotter gefahren ist. Und ich habe sehr viele Vögel laut singen hören.«

Nathapong nickte. »Und woher weißt du das?«

Ich blickte ihn verdutzt an: »Naja. Ich weiß, wie sich ein Reifen anhört, der über Kies fährt, und auch in Deutschland gibt es Vögel, die singen.«

»Ganz genau. Du hast es einmal so gelernt. Dein Verstand weiß, dass dieses Geräusch der Reifen einem Bus zugeordnet werden kann. Und dein Verstand weiß, dass der Gesang den Kehlen der Vögel entspringt. Warum ist es wichtig, dass wir das können?«

Ich überlegte kurz und sagte: » Ich denke, wir haben es einfach einmal gelernt, wahrscheinlich als Kind. Und dann nie wieder hinterfragt.«

»Es ist wichtig, damit du überhaupt leben kannst. Stell dir vor, du müsstest dich jetzt in dem Moment fragen, wer all diese Geräusche verursacht. Müsstest in jeder Situation jedes Geräusch, jede Farbe, jedes Bild, jeden Geruch immer neu einordnen. Damit wäre unser Verstand restlos überfordert. Wir könnten diese Sinneseindrücke nicht in jeder Sekunde neu verarbeiten. Unmöglich. Daher hat dein Verstand gelernt, Schubladen zu bilden.«

»Schubladendenken«, rief ich, »das kenne ich.«

»Schubladendenken ist für die meisten ein negativer Terminus. Die Schubladen, die ich meine, sind insbesondere sehr sinnvoll. In einer Schublade von dir liegt beispielsweise die Information, dass ein vibrierendes Gefühl gepaart mit einer melodischen Klangfolge ein Anruf auf deinem Mobiltelefon ist. Das weißt du. Im Moment, wo dies passiert, musst du dich nicht aktiv fragen, was das war. Das ist eine deiner Gewohnheiten. Nun stell dir einen alten Mann im Hochland von Thailand vor, der noch nie ein Handy besessen hat, geschweige denn von dessen Existenz weiß. Wie würde er auf das Vibrieren und die Klangfolge reagieren?«

Ich verstand, was er meinte, und hörte gespannt zu.

Nathapong fuhr fort: »Er würde es nicht einordnen können und müsste es erst einmal als Bedrohung auffassen. So hat jeder Mensch seine speziellen Schubladen und Gewohnheiten, die genau an sein Leben angepasst sind. Als wir vorhin den Tiger erblickten, warst du nervös, hattest Angst und konntest mit der Situation nicht umgehen, richtig?«

Ich nickte.

»Die Parkranger hier sehen die Tiger regelmäßig, und für sie ist dieser Anblick zur Gewohnheit geworden. Das Ausbilden solcher Gewohnheiten ist, wie gesagt, sehr wichtig. Dennoch gibt es auch Gewohnheiten, die uns zusetzen und uns vom rechten Weg abbringen. Beispielsweise die ungesunde Ernährung, wenn man einen auswärtigen Termin wahrnimmt. Der Termin außerhalb ist beispielsweise gekoppelt mit Fast-Food. Wir denken nicht mehr darüber nach, diese Vernetzungen finden unterbewusst statt. So geraten viele Menschen, auch durch die anhaltende Beschallung der Werbeindustrie, immer häufiger in diese Fallen. Jeder Mensch sollte einmal versuchen, seine Gewohnheiten herauszufinden und zu kategorisieren. Nützlich oder nicht nützlich. Immer mit dem Hintergrund, was sein

Lebensziel ist, was der Mensch erreichen möchte und wie er zu leben anstrebt.«

Ich spürte, wie seine Worte mich trafen. Meine Gewohnheit war es, meine Angestellten immer als minderwertig, unbedarft und uneigenständig zu betrachten. So hatte ich es gelernt, und so behandelte ich sie zeit meines Lebens. Mir wurde sehr mulmig und ich spürte eine Art Schwäche und Trauer in meinem Herzen. Seit ich Nathapong kennengelernt hatte, wollte ich diese abscheulichen Verhaltensweisen mehr und mehr ablegen. Dieser Ausflug bestätigte mich noch mehr darin, ein besserer Mensch zu werden. Nicht mehr zu unterscheiden. Mich nicht auf eine andere, höhere Stufe der Menschen zu setzen, nur weil ich reich an Geld war. Mich ebenfalls nicht über die Natur zu erheben und sie als Untertan und zur freien Verfügung für die Menschheit anzusehen. Ich senkte meinen Kopf und dachte lange über mein Leben nach. Wie ich Menschen behandelte, meine Angestellten, meinen Fahrer, den Gepäckträger am Flughafen. Wie konnte ich nur denken, ich sei besser als diese Menschen? Ich schloss meine Augen und fühlte mich schlagartig sehr unwohl.

Nathapong schien dies zu bemerken, so wie er gefühlt alles bemerkte, was in mir vorging. »Es war ein langer Tag heute, wir sollten zurück zum Tempel. Hab Geduld, das Bild wird sich bald zusammensetzen.«

Den Rückweg zum Tempel verbrachte ich schlafend im Auto unserer Fahrerin, die uns pünktlich nach unserer Ankunft am Festland einsammelte und wieder Richtung Surat Thani fuhr.

Die Meditation am Abend verbrachte ich mit Gedanken an meine Frau und meine Tochter und überlegte, was ich hätte besser und anders machen können.

Später saß ich auf unserer steinernen Bank im Garten und sinnierte über den Tag, mir ging es sehr schlecht. Ich fühlte mich in Nathapongs Nähe wie der schlechteste und unmoralischste Mensch der Welt.

Nathapong sah mich dort sitzen und nahm neben mir Platz. Er legte die Hand auf meine Schulter und wir schwiegen für eine lange Zeit. Ich spürte eindrücklich, wie herzensgut dieser Mensch war. Wie warmherzig, offen und jedem freundlich gesonnen. Ich war tief beeindruckt, und ich spürte, dass es ihm gut ging. Er hatte keine negativen Gedanken. Er hatte kein Geld, kein Auto, keinen Reichtum, und doch war er viel glücklicher als ich.

»Ich weiß nicht, wie ich all diese Dinge ablegen soll, Nathapong. Dieses Gehabe, ein besserer Mensch zu sein. Andere unterzuordnen aufgrund von Einkommen, Einfluss oder Herkunft. Mir gefällt das überhaupt nicht. Ich war wirklich dumm. Das tut mir sehr leid.«

Nathapong erwiderte: »Du kannst es nicht mehr ändern. Aber ab heute kannst du dich so verhalten, wie du es für richtig hältst. Die Vergangenheit ist vergangen, die Gedanken daran lohnen nicht. Du wirst keine gefällte Entscheidung, keinen gedachten Gedanken und keine begangene Tat je ändern können. Dein Karma hat sich deinem Leben angenommen. Aber du kannst ab heute jede Entscheidung, jedes Wort und jeden Gedanken auf der Basis von Liebe und Güte begehen.«

Ich schaute ihn an und wusste, dass er recht hatte. Dennoch fühlte ich mich sehr niedergeschlagen.

Nathapong erhob sich und sagte zu mir: »Steh auf, Andreas. Heb dein Bein, so hoch du kannst.«

Ich sah ihn verwirrt an und musste lachen, weil er es immer schaffte, mich aus Phasen tiefster Niedergeschlagenheit herauszuholen. Ich stand auf und hob mein Knie in Richtung Brust, so hoch ich konnte.

Nathapong nickte und sagte: »Siehst du, du hast noch alle Zeit der Welt. Je näher wir dem Tod kommen, desto näher kommen wir dem Boden, zu dem unser Körper wird. Die Energie deines Körpers wird zu Energie im Boden. Die Vergänglichkeit drückt dich mit der Zeit in Richtung Erde. Du schaffst es nicht mehr, dein Bein zu heben und zu gehen. Deine Haltung wird zunehmend gebückter, die Erde zieht dich zu sich heran. Doch heute gehst du noch aufrecht. Es ist nicht vorbei, bis es vorbei ist,

Andreas. Jeder Mensch hat die Chance, alles besser zu machen. Du kannst selbst auf dem Sterbebett noch deine Haltung und Einstellung ändern. Ich empfehle dir aber, dies frühzeitig zu tun.« Er lachte und lief langsamen Schrittes in Richtung Eingang des Tempels. Ich empfand seine Worte als unglaublich aufbauend und spürte die grenzenlose Dankbarkeit, diesen Mann kennengelernt zu haben.

IX

DIE TAGE VERGINGEN, die Hitze blieb. Die Unsicherheit als Novize bei den Mönchen verflog, die Begeisterung für die Lehren Nathapongs wuchs. Ich war zu diesem Zeitpunkt seit fast zwei Wochen im Tempel und fühlte mich großartig. Ich hatte beträchtlich abgenommen, es gab ja kaum etwas zu essen, und das wenige Essen beschränkte sich auf gesunde Nahrungsmittel. Ich fühlte mich entspannt und ausgeruht, was ich der Meditation, der Sonne und Nathapong zuschrieb. Ich telefonierte einmal wöchentlich mit Linda und fragte nach den neuesten Entwicklungen in meiner Firma. Es lief unfassbar gut.

An einem wunderbar warmen Abend kam Nathapong zu mir auf die steinerne Bank im Garten. Die Sonne ging bereits unter, doch die Luft war immer noch heiß und schwül. »Andreas, morgen beginnt deine letzte Woche hier im Tempel. Erzähl mir, wie du dich fühlst.«

Die letzte Woche schon, ehrlich? Ich hatte die Zeit komplett vergessen. »Weißt du«, antwortete ich nachdenklich,

»die Dinge, die ich hier lernen und erleben durfte, füllen mein Herz. Ich bin unendlich dankbar für diese Zeit und will sie am liebsten nicht mehr missen. Ist es dann gut, bald schon zurückzufliegen?«

Nathapong lächelte, wie er es immer tat. »Andreas, ich möchte dir eine Geschichte erzählen.«

Es war einmal ein Müller, der lebte in einem kleinen Dorf. Er galt als reich, denn er hatte eine Mühle und einige Ziegen. Die Leute im Dorf sagten zu ihm: „Müller, du bist der Einzige, der hier Ziegen hat. Was ein Glück du doch hast." Der Müller antwortete nur: „Wer weiß."

Eines Tages liefen alle Ziegen durch ein Loch im Zaun davon, der Müller konnte sie nicht mehr einfangen. Die Dorfbewohner standen an seiner Mühle und sagten: „Müller, all deine Ziegen sind weggelaufen. Was für ein Pech." Der Müller antwortete wieder: „Wer weiß."

Ein paar Tage später sah man im Morgengrauen alle Ziegen des Müllers, die den Weg zurück nach Hause fanden. Dazu noch unzählige andere Ziegen, die sie begleiteten. Die Leute waren neidisch und sagten: „Müller, was für ein Glück du doch hast, jetzt hast du noch mehr Ziegen." Der Müller antwortete wieder: „Wer weiß."

Der Sohn des Müllers beschloss eines Tages, auf die Mühle zu klettern, um in die Ferne schauen zu können. Er stürzte und konnte fortan nicht mehr laufen. Die Dorfbewohner sagten: „Müller, was für ein Pech du doch hast. Dein Junge kann nie mehr laufen." Der Müller antwortete wieder: „Wer weiß."

Einige Tage später kam die Armee des Königs ins Dorf und verschleppte alle Jungen und Männer, um sie für die Krone kämpfen zu lassen. Den Sohn des Müllers wollten sie nicht, worauf die Dorfbewohner sagten: „Müller, was für ein Glück du doch hast." Der Müller antwortete wieder: „Wer weiß."

Ich war gebannt von der Geschichte und meinte die Intention dahinter zu kennen. »Man weiß vorher nie, ob ein Ereignis gut oder schlecht ist, richtig?«, fragte ich eifrig.

»Richtig, Andreas, das weiß man nie. Es ist in jedem Moment des Lebens immer beides. Es kommt auf die Perspektive an. Stell dir vor, du bist auf einem Sportwettkampf. Fünfhundert Meter laufen. Du gehst als Zweiter durchs Ziel. Was denkst du?«

»Ich würde mich einerseits freuen, dass ich Zweiter geworden bin, und mich wahrscheinlich ärgern, dass ich nicht der Erste geworden bin.«

Nathapong nickte. » Für dich wäre es gleichzeitig ein Sieg und eine Niederlage. Deshalb gibt es in jedem Moment des Lebens immer nur beides.«

»Wenn ich aber Erster geworden wäre, würde ich doch meinen Sieg feiern, oder? Dann gäbe es keine Niederlage.«

Nathapong erwiderte: »Es kommt auf die Perspektive an. Für alle hinter dir wäre das Ergebnis eine Niederlage, für dich ein Sieg. Es kommt nicht auf das Ereignis an sich an, sondern wie unterschiedliche Menschen es aus unterschiedlichen Richtungen auffassen. Verstehst du das?«

Ich nickte leicht, war aber nicht überzeugt.

Nathapong schien dies zu bemerken und ergänzte: »Stell dir vor, in Südamerika wird eine einhundert Hektar große Waldfläche abgeholzt, um dort Tierfutter anbauen zu können und um die Tropenhölzer an wohlhabende Europäer zu verkaufen. Für die einheimische Flora und Fauna eine klare Niederlage. Sie verlieren ihre Lebensgrundlage und sehr viele auch ihr Leben. Für den Betreiber der Tierfutterplantagen ein Sieg. Er fährt große Gewinne ein, da die Welt ständig nach mehr Fleisch giert. Für den Exporteur von Tropenholz wäre es ebenfalls ein großer Sieg. Alles, was wir betrachten, besteht immer aus Sieg und Niederlage, besteht immer aus gut oder schlecht. Diese Grenzen verschwinden oft, wenn man sie bewusst hinterfragt.«

Ich schaute ihn an und sagte: »Dann gibt es nichts, was nur schlecht ist auf der Welt? Das würde ja bedeuten, ich könnte tun, was ich wollte, weil es immer irgendeinen Menschen gibt, der meine Handlung als *Sieg* oder als *gut* interpretieren würde.«

Nathapong erwiderte: »In der Theorie ja. Wir Buddhisten leben nach dem edlen achtfachen Pfad, der als Grundlage jeder Entscheidung und jeden Gedankens das Mitgefühl beinhaltet. Wir allein können die Welt nicht verändern, aber wir können einzelne Menschen verändern, die wiederum das Gleiche tun können. Wenn wir Buddha zuhören, wissen wir, dass der Weg dorthin bereits der Erfolg ist. Die Einsicht, die Motivation dahinter. Die rechten Gedanken und rechten Taten. Das ist Erfolg.«

Ich überlegte. Das hatte ich schon mal gehört. »Es besagt, dass es keinen Weg, kein Patentrezept gibt, um irgendwann glücklich zu sein. Man sollte Freude an dem haben, was man tut«, sagte ich.

Nathapong lächelte zufrieden. Ich hatte es verstanden.

An diesem Abend merkte ich, dass wir bisher nur an der Oberfläche gekratzt hatten.

»Du wirst keine Entscheidung treffen können, keinen Gedanken denken können, der andere nicht verletzt. Das gibt es nicht. Jede Handlung hat ihren Preis. Sie schlägt sich in deinem Karma nieder. Wenn du selbstlos aus edlen Motiven handelst, gewinnst du positives Karma. Und dennoch wirst du auch Menschen verletzen. Überlege einmal, inwiefern deine früheren Entscheidungen Auswirkungen auf dein Leben hatten.«

Ich dachte nach und spürte augenblicklich die Situation, als meine Frau mich verließ. Ich kam spätabends von der Arbeit zurück nach Hause. Ich hatte ihr versprochen, am frühen Abend zurückzukehren, damit wir gemeinsam essen gehen konnten. Als ich gerade meinen Fahrer rufen wollte, der mich nach Hause bringen sollte, kam ein Mitarbeiter völlig aufgelöst in mein Büro. Er erzählte mir, dass sein Kind in einen schweren Autounfall verwickelt war und er dringend ins Krankenhaus müsse. Ich war geschockt von dieser Nachricht und bestellte ihm umgehend ein Taxi, bezahlte den Fahrer und wünschte ihm alles Gute. Ich dachte in diesem Moment lange über meine eigene Tochter nach, wie ich reagieren würde, wenn ihr etwas passieren sollte. Ich verteilte die Arbeit des Mitarbeiters auf die Kollegen und kam zwei Stunden später als gedacht auf meine Einfahrt gerollt. Ich öffnete die Haustüre und sah meine Frau mit gepackten Koffern und verschränkten Armen im Hausflur stehen. Ich sagte: »Schatz, es tut mir sehr leid, aber weißt du, ein Mitarbeiter …«

»Das interessiert mich nicht«, unterbrach sie mich und lud ihre Koffer in ein Taxi. »Den Rest lasse ich abholen, du kannst ja deine Firma heiraten. Arschloch.« Das war's. Ich hatte doch nur einem Mitarbeiter in Not helfen wollen und wurde dafür derart bestraft. Als ich Nathapong diese Geschichte erzählte, sagte er: »Du hattest rechte Gedanken und hast sicherlich das Richtige getan, aber wie oft hast du deine Frau vor diesem Tag warten lassen oder im Stich gelassen?»

Ich dachte nach, und mir wurde bewusst, dass dies regelmäßig vorkam. Ich entschuldigte dies jedes Mal mit meiner verantwortungsvollen Aufgabe als Geschäftsführer, doch ich sah nicht, wie sehr ich meine Frau damit verletzte. Ich senkte meinen Kopf und dachte nach. Mir flogen alle Situationen, in denen ich meine Frau und meine Tochter allein gelassen hatte, durch den Kopf. Ich fühlte mich schrecklich. Ich hatte immer der Firma die Schuld gegeben, doch an diesem Abend sah ich ein, dass es meine Schuld war. Ganz allein meine.

Nach etwa zwanzig Minuten des Schweigens schaute ich auf. Ich hatte rot unterlaufene Augen, und einige Tränen flossen mir über die Wange. Ich fragte Nathapong flehend: »Was kann ich tun, damit ich ein besserer Mensch werde? Damit ich auch so glücklich sein kann wie du?«

Nathapong erhob sich von der Bank, stellte sich aufrecht vor mich hin und sagte: »Du bist gerade dabei, Andreas. Erkenntnis ist der erste und bedeutsamste Schritt. Weißt du, ich bin müde, lass uns unser Abendgebet sprechen, gib deine Wünsche, deine Hoffnungen an das Universum weiter und du wirst sehen. Das, was du denkst, wird eintreten.«

Das tat ich an jenem Abend so wie nie zuvor. Das Abendgebet und die Meditation fühlten sich unbeschreiblich intensiv an, ich spürte den Nachdruck hinter meinen Worten. Ich wollte, dass das Universum mich erhört und meinen unbändigen Willen spürt, mich zu ändern.

In dieser Nacht schlief ich nicht. Ich war durch meine neuen Gedanken so von Euphorie erfüllt, dass ich nicht zur Ruhe kommen konnte. Ich lag auf meinem Bett, und mir war zu diesem Zeitpunkt klar, dass ich meine Entscheidung getroffen hatte.

X

AM FOLGENDEN MORGEN ertönte der Gong und riss mich unbarmherzig aus dem Schlaf. Ich schaute auf meine Rolex und überlegte, wie lange ich wohl geschlafen hatte. *Maximal zwei Stunden,* dachte ich und setzte mich auf die Bettkante. Es war bewölkt, was der Hitze anscheinend keinen Abbruch tat. Ich fühlte mich sehr wohl damit, jeden Morgen bei Temperaturen über zwanzig Grad Celsius aufzuwachen.

Der Pindabat, das Frühstück und das Morgengebet verliefen wie gewohnt. Bei der darauffolgenden Meditation wiederholte ich intensiv meine Wünsche vom Vorabend. Nathapong und ich hatten unseren Platz auf der steinernen Bank im Garten gefunden. Tag für Tag saßen wir dort, beobachteten die Natur oder lauschten den Geräuschen des Regenwaldes. Ich nannte sie die Bank der Weisheit.

»Nathapong«, sagte ich, »ich habe mir einen Plan überlegt. Ich möchte all das Negative, was ich erlebt habe, nicht mehr in meinem Leben haben, und ich möchte in der Zukunft ein besserer Mensch werden. Bitte zeig mir den Weg.«

Nathapong hob den Kopf, sah mich an und sagte: »Andreas, das sollte man nicht so einseitig sehen. Zuerst einmal ist all das, was dir in deinem Leben passiert ist, nun mal passiert. Du solltest dankbar sein, diese Erfahrungen gemacht haben zu dürfen. Wir alle kommen mit einer bestimmten Aufgabe in diese Welt. Mit Erfahrungen, die wir gemacht haben, nicht in diesem Leben. Das ist dein Karma, das dich immer begleiten wird, bis du alles Weltliche ablegen kannst. Das bist du. So bist du auf die Welt gekommen, und deine Grundhaltung wird sich niemals ändern. Unsere Seelen suchen sich Eltern aus, bei denen wir unsere Aufgabe, unsere Menschwerdung vervollkommnen können. Was auch immer deine Aufgabe ist, du wirst sie nicht durch Mathematik, Logik oder Nachdenken finden. Du wirst sie in Meditation finden. In absoluter Ruhe. In Abgeschiedenheit von der lauten und aggressiven Welt. Sie liegt tief unter der Wasseroberfläche, ganz unten im Eisberg begraben. Jeder von uns hat eine Aufgabe mit dem übergeordneten Ziel, das Menschsein zu vervollkommnen. Jeder beginnt an einem anderen Punkt dieser Reise. Daher solltest du all das *Negative*, das dir passiert ist, nicht als schlecht ansehen. Erinnere dich an den gestrigen Tag. Jede Niederlage ist auf einer anderen Ebene ein Sieg und vice versa. All deine Erfahrungen, die du heute als *schlecht* oder *negativ* ansiehst, haben dir geholfen, deine Aufgabe fortzuführen. Für alles, was dir bisher passiert ist, solltest du sehr dankbar sein. Dankbar zu sein, ist eine der wichtigsten Eigenschaften, die wir als Mensch haben können. Wofür bist du dankbar?«

Diese Ausführungen verstand ich nicht komplett, aber ich hatte gelernt, dass Nathapong es mir nicht detailliert erklären würde, sondern dass ich es selbst herausfinden müsste. »Ich bin dankbar für meine Firma, für meine wundervolle Ex-Frau, für meine geliebte Tochter, für meine Hausdame und meinen Fahrer.«

»Gut«, sagte Nathapong, »bist du dankbar für deinen Körper? Dafür, dass du zwei Beine und zwei Arme hast? Dafür, dass du hören, sehen, riechen, schmecken und fühlen kannst? Dafür, dass du glauben kannst? Dafür, dass die Sonne scheint? Bist du dankbar für die Menschen, die dir im Leben geholfen haben, und für die Menschen, die dich im Leben verletzt haben?«

Ich antwortete: »Für die, die mich verletzt haben, sicher nicht. Für all die anderen Dinge, die du genannt hast – ja klar, dafür bin ich schon dankbar – aber das ist ja selbstverständlich.«

»Andreas, lass mich dir eine Geschichte erzählen.«

Eines Tages begab sich der Erleuchtete selbst auf eine Reise durch die Welt. Er traf einen Mann, der keine Arme und Beine hatte, sodass er sich kaum rühren konnte.

»Wer bist du?«, fragte der Mann.

»Ich bin die Erleuchtung«, lautete die Antwort.

»Wenn du die Erleuchtung bist, kannst du mich vielleicht gesund machen?«, fragte der Kranke.

»Ich will dich heilen«, sagte der Erleuchtete, »aber du wirst mich und deine Krankheit bald vergessen.«

»Wie könnte ich dich jemals vergessen?«, rief der Mann.

»Gut, ich komme in sieben Jahren zurück, dann werden wir sehen, ob du mich vergessen hast«, meinte der Erleuchtete. Und er legte seine Hand auf den Kopf des Kranken. Kaum war das geschehen, hatte der Mann wieder Arme und Beine.

Dann zog der Erleuchtete weiter und kam zu einem Obdachlosen.

»Wer bist du?«, fragte der Mann.

»Ich bin die Erleuchtung.«

»Die Erleuchtung?«, fragte der Obdachlose, »dann könntest du mir vielleicht ein Haus verschaffen?«

»Das könnte ich«, erwiderte die Erleuchtung, »aber du wirst mich und dein Problem bald vergessen haben.«

»Wie könnte ich dich jemals vergessen?«, rief der Obdachlose.

»Gut, ich komme in sieben Jahren zurück, dann werden wir sehen, ob du mich vergessen hast«, meinte der Erleuchtete. Und er legte seine Hand auf den Kopf des Mannes. Kaum war das geschehen, entstand ein Haus für den Obdachlosen.

Wieder begab sich der Erleuchtete auf die Reise. Nach einigen Tagen gelangte er zu einem Blinden.

»Wer bist du?«, fragte der Blinde.

»Ich bin die Erleuchtung.«

»Die Erleuchtung? Kannst du mir mein Augenlicht zurückgeben?«

»Das könnte ich, aber du wirst mich und deine Blindheit bald vergessen haben.«

»Wie könnte ich dich jemals vergessen?«, rief der Blinde.

»Gut, ich komme in sieben Jahren zurück, dann werden wir sehen, ob du mich vergessen hast«, meinte der Erleuchtete. Und er legte seine Hand auf den Kopf des Kranken. Kaum war das geschehen, konnte der Mann sehen.

Nach sieben Jahren machte sich der Erleuchtete erneut auf, um die Menschen zu treffen, denen er vor langer Zeit geholfen hatte. Er verwandelte sich in einen Blinden und ging zuerst zu dem Menschen, dem er das Augenlicht wiedergegeben hatte.

»Bitte hilf mir, ich kann nichts sehen und brauche dringend etwas Wasser«, bat der Erleuchtete.

»Was fällt dir ein?«, schrie der Mann ihn an, »ich lasse keine Behinderten an mein Wasser!«

»Siehst du«, sagte der Erleuchtete daraufhin, zog die Maske der Erblindung hinunter und offenbarte sich dem ehemals Blinden, »vor sieben Jahren warst du blind. Damals habe ich dich geheilt, und du versprachst,

deine Blindheit und mich niemals zu vergessen.« Darauf legte der Erleuchtete seine Hand erneut auf den Kopf des undankbaren Menschen. Sofort wurde dieser wieder blind.

Dann zog der Erleuchtete weiter und gelangte zu dem Mann, dem er vor sieben Jahren Arme und Beine geschenkt hatte. Er verwandelte sich in einen Mann ohne Arme und Beine und bat erneut um Wasser.

»Verschwinde«, schrie der Mann ihn an.

»Siehst du«, sagte der Erleuchtete, »vor sieben Jahren habe ich dich von deiner Krankheit geheilt. Damals hast du versprochen, mich und deine Krankheit niemals zu vergessen.« Daraufhin legte der Erleuchtete seine Hand erneut auf den Kopf des undankbaren Menschen. Sofort verlor dieser Arme und Beine.

Schließlich verwandelte sich der Erleuchtete in einen Obdachlosen. So besuchte er jenen Mann, dem er vor sieben Jahren ein Haus erschaffen hatte.

»Darf ich eine Nacht bei dir schlafen?«, fragte der Erleuchtete, als er am Haus des Mannes angelangt war.

»Gern, komm nur herein«, lud der Mann den Erleuchteten ein, »nimm Platz, du Armer. Ich war früher auch obdachlos. Gerade ist es sieben Jahre her, als der Erleuchtete zu mir kam und mir half. Damals sagte er, dass er nach sieben Jahren wiederkommen wolle. Warte hier, bis er kommt. Vielleicht wird er auch dir helfen.«

»Ich bin der Erleuchtete«, offenbarte sich dieser nun.

»Du bist der Einzige von allen, denen ich damals geholfen habe, der mich nicht vergessen hat. Deshalb sollst du auch immer glücklich bleiben.«

Als der Erleuchtete sich von diesem einzigen guten Menschen verabschiedete, sagte er noch: »Wir leben in einem ständigen Wandel. Oft wird aus Glück Unglück. Not verwandelt sich in Reichtum und Liebe kann in Hass umschlagen. Kein Mensch sollte das jemals vergessen.«

Nathapong beendete seine Geschichte, und ich verstand.

»Dankbar zu sein, ist wichtig!«, rief ich.

Nathapong nickte und sagte: »Du sagtest mir, du möchtest glücklich sein? Dann sei dankbar. Unser Leben hängt immer von der Güte und der Liebenswürdigkeit anderer ab. Sei zuerst dankbar. Geh den ersten Schritt, und die Menschen werden dir folgen.«

Mit diesem wundervollen Satz verabschiedete sich Nathapong und ließ mich mit meinen Gedanken alleine. Ich sagte es zu mir selbst. Immer wieder. Wie ein Mantra: »Ich bin dankbar für mein Leben. Ich bin dankbar für die Sonne. Ich bin dankbar für jeden Tag, an dem ich gesund aufwache und erkennend schlafen gehe. Ich bin dankbar für meine Arme und Beine. Ich bin dankbar für meine Familie. Ich bin dankbar für alle Menschen, die mir auf meinem Weg jemals begegnet sind, und dankbar für alle, die mir noch begegnen werden.« Diese Sätze wiederholte ich Mal für Mal. Und es fühlte sich großartig an.

Als es langsam dunkel wurde, kam Nathapong wieder zu mir und setzte sich neben mich. »Wie fühlst du dich, Andreas?«, wollte er wissen.

Ich hatte für dieses Gefühl keinen Ausdruck. Ich war überwältigt und begann zu weinen. Erst leicht, dann immer stärker, und schließlich heulte ich wie nie zuvor in meinem Leben. Nicht aus Trauer, sondern aus unendlicher Dankbarkeit, das alles erfahren zu dürfen.

Nathapong sah mich an, stand auf und ging.

Nach einiger Zeit hatte ich mich wieder gefasst und lief in den Tempel. »Als Tröster taugst du wirklich nicht«, sagte ich lachend mit noch immer mit tränenverschmiertem Gesicht.

Nathapong schob mich mit der Hand sanft in Richtung Garten und wir liefen gemeinsam zu unserer Bank.

»Weißt du, Andreas, ich werde nicht immer da sein. Es ist wichtig für jeden Menschen, ob Kind oder Erwachsener, diese Gefühle alleine durchzustehen und daraus zu lernen. Sonst brauchst du immer, wenn du traurig bist, einen anderen Menschen. Trauer ist lediglich eine Stressreaktion des Körpers. Es ist normal. Behandele die Trauer, als wäre sie normal. Beschreibe sie, begreife sie, nimm sie an. Dann verschwindet sie. Für immer.«

Er lächelte zufrieden, legte seine Hand auf meine Schulter und sagte: »Es ist eine Menge neu hier für dich, richtig? Ich weiß, dass es anfangs schwer ist, sich all dieser Dinge anzunehmen. Mach bitte Folgendes: Stell dir einen Eisberg vor, mit einer großen Spitze, die aus dem Wasser ragt, mitten im Nordatlantik. Das, was du siehst, ist nur ein Bruchteil dessen, was wirklich da ist. Und das, was wir mit unseren Sinnen erfassen können, ist ebenso nur ein Bruchteil von dem, was wirklich da ist. Das, was ich dich bisher gelehrt habe, ist nur ein Bruchteil dessen, was es zu lehren gibt. Wir sind gerade erst am Anfang.« Mit diesen Worten verabschiedete Nathapong sich an diesem Abend, und auch ich ging ins Bett.

Auf meinem Bett liegend dachte ich daran, dass ich nur noch drei Tage vor mir hatte, bis mein Rückflug nach Deutschland anstehen würde.

Mit gemischten Gefühlen schlief ich an diesem Abend ein.

XI

DER DRITTLETZTE TAG meiner Reise begann wie gewöhnlich. Der enorme Gong holte mich aus dem Schlaf. Der Rest war inzwischen Routine. Waschen, Zähne putzen, Gewand anlegen und zum Morgengebet. Den tibetanischen Text kannte ich mittlerweile auswendig, auch wenn ich ihn weder übersetzen noch verstehen konnte. Ich hatte dafür meine eigenen Gebete. Mit der Zeit richteten sich diese immer mehr in Richtung meiner Familie und den Menschen, die mir wichtig waren, und weg von meiner Firma und dem materiellen Besitz, auf den ich anfangs so stolz gewesen war.

Nach dem Pindabat und dem anschließenden Frühstück beschlossen Nathapong und ich, eine Weile durch den Wald zu laufen. »Was hast du eigentlich für die Zukunft geplant, Nathapong? Du hast mir so viel erzählt, aber ich weiß gar nicht, wo dich dein Weg hinführen soll.«

Nathapong blickte stur geradeaus und sagte: »Gar nichts, Andreas.«

»Wie, gar nichts?«, fragte ich ungläubig, »du musst doch einen Plan haben, oder? Selbst als Mönch. Ich meine, ob du den Tempel wechselst, ob du noch einmal nach Deutschland zurückkehrst oder für immer hierbleibst. So was meine ich.«

Nathapong schaute gen Himmel und sagte: »Immer, wenn die Menschen planen, vergessen sie eine wichtige Sache. Das Leben lässt sich nicht planen. Wenn ich planen würde, meinen Lebensabend in diesem Tempel zu verbringen, und dieser Tempel in drei Jahren von einem Monsun komplett zerstört werden würde, was nützt mir dann mein Plan? Das Universum interessiert sich nicht für deine Pläne. Wie war es in deinem Leben? Wann hast du bedeutende Änderungen bemerkt?«

Das war einfach. »Ich habe die Firma durch einen Todesfall überschrieben bekommen, das war für mich der Start in ein ganz neues Leben. Dann habe ich Aufträge von überall aus der Welt bekommen und konnte mich immer weiter hocharbeiten.«

Nathapong behielt seinen gemächlichen Gang bei, nickte leicht und sagte: »Was davon hast du geplant? Hast du geplant, dass jemand in deinem Leben stirbt und du die Firma bekommst? Hast du geplant, dass deine Frau dich verlassen wird, und hast du geplant, dass du nicht viele Freunde haben wirst?«

Ich war verwirrt. »Natürlich nicht. So was kann man doch nicht planen.«

Er blickte mich an und erwiderte: »Ganz genau. Wenn du auf dein Leben zurückblickst, wirst du sehen, dass Pläne einfach nicht funktionieren. Der Mensch ändert sich nur, wenn er muss. Wenn der Druck in einer Situation zu groß wird, ist er gezwungen, sich zu ändern. Wenn ein Monsun meinen Tempel zerstört, bin ich gezwungen, mein Leben zu ändern. Wieso sollte ich es nun tun? Ganz wichtig ist natürlich, dass deine Gedanken und Wünsche recht und rein sind. Du bekommst vom Universum immer das, wonach du fragst.«

Ich lachte, und ich erkannte, dass an dieser Aussage etwas dran war. Die Dinge, die in meinem Leben passiert waren, hatte ich tatsächlich nicht geplant. Was ich geplant hatte, war, mit meiner Firma, meiner Frau und meiner Tochter ein schönes Leben zu führen. Das hatte nicht funktioniert.

Nathapong blieb stehen und bedeutete mir, dies ebenfalls zu tun.

»Was aber mache ich stattdessen, wenn ich nicht planen soll? Irgendwohin muss mein Leben doch gehen?«, fragte ich.

Nathapong erwiderte: »Dein Leben wird dahin gehen, wo es hingeht. Daran gibt es nichts zu rütteln. Du denkst, du triffst bewusst diese Entscheidungen, aber die Entscheidungen laufen alle unterbewusst ab. Wir haben uns über Gewohnheiten unterhalten. Deine Gewohnheiten bestimmen maßgeblich deine Zukunft. Hast du die Gewohnheit, morgens Sport zu treiben und motiviert zur Arbeit zu fahren? Oder hast du die Gewohnheit, lange zu schlafen und nicht arbeiten zu gehen? Beides führt zu deinem Schicksal. Zu dem, was dich ausmacht. Du allein entscheidest, welchen Weg du gehen möchtest. Wie an dem Schild im Regenwald an deinem ersten Tag. Hast du reine Gedanken, reine Wünsche voller Mitgefühl und Dankbarkeit, wird das dein Schicksal sein. Erstelle keine Pläne, dann kann auch keiner schiefgehen.« Er lachte laut, und ich spürte, dass er genau so lebte.

Ich fragte: »Bei euch Buddhisten ist Schicksal also etwas, was einfach passiert?«

»Nein, nicht ganz. Schicksal bedeutet nicht, dass es etwas gibt, das einer übernatürlichen Bestimmung gleicht. Das Schicksal wird eintreten, ganz sicher. Aber du kannst es maßgeblich formen. Durch deine Gedanken, deine Taten. Deine Handlungen. Das ist das Karma. Es beruht immer auf Ursache und Wirkung. Alles im Leben hat eine Wirkung. Wir laufen gerade über einen tollen Waldboden. Das hat definitiv Auswirkungen auf unser Karma. Wir sind verbunden mit der Natur, wir atmen frischen Sauerstoff. Unser Herz erfreut sich an den Farben, den Düften und den Geräuschen des Waldes. Fülle dein Herz mit Güte und Dankbarkeit. In jeder Situation, bei jedem Gedanken. Dann wird dein Schicksal ebenso aussehen.«

Ich verstand, was er meinte. Es leuchtete mir ein. Ich spürte erneut dieses unbändige Gefühl von Sicherheit und Nähe bei Nathapong. Es kam mir vor, als würde er mich lehren, meine Schuhe zu binden, alleine aufs Töpfchen zu gehen oder aufrecht zu laufen. Für ihn waren es die selbstverständlichsten Dinge, aber für mich war es neu und aufregend. Und so, wie ein kleines Kind sich freut, wenn es die ersten Schritte macht, freute ich mich, Nathapongs Weisheiten zu lernen.

Wir liefen ungefähr eine Stunde durch den dichten Regenwald. Ich spürte eindrucksvoll, wie sehr mir die Natur gefiel und wie viel Ruhe sie mir gab. So eine Auszeit hatte ich mir all die Jahre nicht genommen.

Zurück am Tempel setzten wir uns auf unsere Bank im Garten.

Nach einer Weile des Schweigens fragte ich ihn: »Was, denkst du, muss ich tun, um mich von dem Ballast zu lösen, den ich mit mir herumtrage?«

»Du musst gar nichts, Andreas. Du hast keinen freien Willen. Alles, was du willst, ist in diesem Moment bereits entschieden.« Und dann kam der Satz, der mich bis heute zum Nachdenken verleitet: »Schopenhauer sagte einmal: „Du kannst immer tun, was du willst, aber du kannst in jedem Augenblick deines Lebens nur ein Bestimmtes wollen und schlechterdings nichts anderes als dieses Eine.“«

»Was soll das denn heißen?«, fragte ich sichtlich erstaunt.

»In dem Moment, wo du entscheidest, etwas zu tun, hast du es bereits innerlich gewollt und entschieden, es zu tun. Dieser freie Wille, so, wie die Menschen ihn verstehen, ist schlicht falsch. Du kannst jetzt aufstehen und tun, was du möchtest. Zum Beispiel auf diesen Baum dort springen.« Nathapong hob seinen Arm und zeigte auf eine dichte Baumkrone. Ich schwieg und sah ihn zweifelnd an.

»Unsere Möglichkeiten als Mensch sind begrenzt. Unsere ureinsten Triebe werkeln unsichtbar in den Tiefen unseres Verstandes. Dieses „Wollen" können wir nicht beeinflussen, da es nicht auf der bewussten Ebene abläuft. Wir denken, wir wollen etwas, doch dies ist längst für uns entschieden worden. In der Meditation, in der vollständigen Ruhe kannst du dies erkennen.«

»Nun, wie kann ich es lernen, so gelassen zu werden wie du und mir nicht so viele Gedanken über meine Motive zu machen?«, fragte ich ihn in der Hoffnung, dieses Mal eine konkrete Antwort zu bekommen. Es kam, wie es immer kam.

Er drehte sich zu mir und sagte: »Ich erzähle dir eine Geschichte.«

Mittlerweile liebte ich diese Geschichten und wollte Nathapong jedes Mal beweisen, dass ich deren Quintessenz auch verstand.

Ein paar junge Männer kamen zu einem alten Weisen. Sie fragten ihn: »Weiser Mann, warum bist du immer so glücklich und gelassen? Bitte bring uns bei, auch so glücklich und gelassen zu sein.«

Der Weise antwortete: »Wenn ich esse, dann esse ich. Wenn ich sitze, dann sitze ich. Wenn ich gehe, dann gehe ich, und wenn ich trinke, dann trinke ich.«

Die jungen Männer schauten sich fragend an. Einer sagte: »Das tun wir auch, wir essen, sitzen, gehen und trinken. Warum sind wir nicht glücklich? Wir machen genau dasselbe.«

Es kam dieselbe Antwort vom Weisen: »Wenn ich esse, dann esse ich. Wenn ich sitze, dann sitze ich. Wenn ich gehe, dann gehe ich, und wenn ich trinke, dann trinke ich.« Die jungen Männer blickten noch immer fragend drein.

Da fügte der Weise hinzu: »Ja, all diese Dinge macht ihr auch. Ihr esst, ihr sitzt, ihr geht und ihr trinkt. Aber während ihr sitzt, denkt ihr bereits ans Aufstehen. Während ihr geht, denkt ihr bereits an eure Ankunft. Während ihr trinkt, denkt ihr an euer Essen. So sind eure Gedanken ständig woanders und nicht da, wo ihr gerade seid. Das Leben findet nur im Hier und Jetzt statt. Lasst euch auf diesen Moment ein, und auch ihr habt die Chance, wirklich glücklich und gelassen zu sein.«

Ich begriff, worum es ging. »Achtsamkeit«, sagte ich zögerlich.

»Achtsamkeit«, wiederholte Nathapong und nickte.

Er erhob sich langsam von der Bank, steckte seine Arme unter das Gewand und lief in Richtung Tempel. Ich folgte ihm.

An diesem Abend dachte ich lange über seine Worte nach. Mir wurde bewusst, wie sehr ich am Leben vorbeigelebt hatte, und ich war noch entschlossener, dies zu ändern. Nicht meine Vergangenheit, wie ich gelernt hatte, sondern das, was kommt.

XII

ES WAR DER vorletzte Tag meiner Reise. An diesem Morgen standen nur sehr wenige Dorfbewohner am Straßenrand, um uns Essen zu spenden. Ich regte mich darüber nicht auf, da ich es nicht ändern konnte. Das hatte ich gelernt. Wie jeden Mittag saßen Nathapong und ich später im Garten. An diesem Tag war keine einzige Wolke am Himmel zu sehen. Der Regenwald machte sich akustisch und geruchlich intensiv bemerkbar. Nathapong schaute in den Himmel und sagte: »Dieser Zustand, wenn alles stillsteht, wenn alles geräuschlos und unsichtbar ist, das erreichen wir mit der Meditation.«

Unsicher, ob ich je richtig meditiert hatte, fragte ich: »Wenn ich meditiere, habe ich viele Gedanken, die entstehen einfach in meinem Kopf. Mache ich es dann falsch?«

»Es gibt kein Falsch«, antwortete Nathapong schlicht, »wichtig ist, dass du zur Ruhe kommst. Du wirst diesen Moment erleben, wenn du es schaffst, die Lautstärke auf null zu setzen, die Bildwiederholungsfrequenz deiner Gedanken auf ein Minimum zu reduzieren und wenn du das Gefühl hast, deinen Körper nicht mehr zu spüren.« Das verstand ich nicht. Die weiteren Ausführungen Nathapongs an diesem Tag im April sollten mich jedoch in meinen Grundfesten erschüttern.

»Ich weiß heute, dass ich ein besserer Mensch werden möchte. Ich möchte der Gesellschaft etwas zurückgeben und dafür sorgen, dass die kommenden Generationen es einfacher haben. Wie mache ich das?«, fragte ich.

Nathapong lächelte. Wie immer. »Wir haben nicht die Macht, die Leben anderer einfacher zu gestalten. Wir kennen ihre Aufgabe nicht, ihren Plan, wir wissen nicht, welches Karma sie in dieses Leben begleitet hat. Sicherlich aber können wir helfen. Wir können durch Liebe und Güte andere Menschen in unser Herz schließen und versuchen, ihnen Glück zu schenken. Fang bei den Kindern an, Andreas.«

Ich blickte ihn verdutzt an. »Kinder? Ich denke nicht, dass ich ein Erziehungsexperte bin. Meine Tochter ist schließlich nicht mehr da.«

»Deine Tochter ist nicht gegangen, weil du sie falsch erzogen hast«, er blickte mich ernst an, »deine Tochter ist gegangen, weil ihr die Liebe und Zuneigung fehlte. So geht es sehr vielen Kindern. Und wenn einige das große Glück haben, ein wohlbehütetes Elternhaus zu haben, werden sie in der Schule spüren, wie wichtig uns allen das Wohl unserer Kinder ist. Es ist schon eigenartig, die meisten Rentensysteme stützen sich darauf, dass unsere Kinder einmal unser Leben im Alter absichern. Und doch treten wir sie mit Füßen.«

»Wie meinst du das? Es gibt doch viele Eltern, die ihre Kinder über alles lieben und ihnen einen tollen Start in das Leben ermöglichen.«

Nathapong nickte. »Natürlich. Und das ist auch gut so. Aber überlege einmal, was mit den Kindern passiert, die in die Schule gehen. Kinder sind von Geburt an aufgeschlossen, unternehmenslustig, voller Liebe und Hingabe. Sie erkennen sehr gut, ob ihnen jemand wohlgesonnen ist oder nicht. Sie spielen, einfach um des Spielens Willen. Sie toben, weil es ihnen Spaß macht. Sie lachen, weil sie dadurch Freude erfahren. Diese lebensfrohen und grundguten Geschöpfe sind alles, was wir auf dieser Welt brauchen. Kinder würden – auch wenn sie es könnten – keine Kriege anfangen, keine anderen Rassen unterdrücken, keine Teile der Gesellschaft bevorzugen. Sie würden alle gleich behandeln. Das ist der Kern unserer Menschheit. Und dann schau sie dir an, wenn sie aus der Schule entlassen werden. Sie sind gebrochen, haben gelernt, dass es gute und schlechte Zensuren gibt. Haben gelernt, dass man ruhig sitzen muss, damit der Lehrer dir am Ende der Schullaufbahn einen Zettel in die Hand drückt. Auf diesem Zettel wurde bewertet. Andreas hat immer stillgesessen und leise gelernt. Ist das wirklich ein Ziel, was wir verfolgen sollten? Kinder lernen spielerisch, aber das wird ihnen in der Schule untersagt. Sie werden zu gehorsamen Erwachsenen herangezogen, die ihre Kreativität verloren haben. Ihre Motivation, ihre Begeisterungsfähigkeit und ihre Triebe. Die Gesellschaft bezeichnet es dann als Erfolg, wenn sie zwölf Jahre in der Schule stillgesessen haben und Dinge auswendig lernen mussten, die sie nie wieder benötigen werden ...«

»Aber manche Dinge sind schon wichtig, sie sollten rechnen und zählen können, die Biologie verstehen und den Kosmos«, unterbrach ich ihn.

»Selbstverständlich. Ich meine Folgendes. Ich erinnere mich an meine Schulzeit in Deutschland. Im Mathematikunterricht sollten wir die Schnittgeraden zweier Ebenen berechnen. Ich fragte den Lehrer, wofür ich dies benötigen würde. Er antwortete: „Mathematik wirst du dein Leben lang brauchen, Natherponk". Er konnte noch nicht einmal meinen Namen aussprechen. Ich habe es nie wieder benötigt, aber unnötigerweise kann ich es noch heute berechnen. Ich hätte diesen Platz lieber für sinnvolle, schöne und hilfreiche Dinge aufgespart. Mein Klassenkamerad in Deutschland,

Lars, war immer sehr desinteressiert am Unterricht. In allen Klassenarbeiten erhielt er fächerübergreifend die Bestnote. Später stellte sich heraus, dass er komplett unterfordert war. Der eben genannte Mathematiklehrer sagte einmal zu ihm, als dieser wieder regungslos aus dem Fenster starrte: „Lars, niemand wird dir ein Gehalt dafür zahlen, dass du aus dem Fenster schaust.“ Lars ist später Pilot geworden. Ich denke, das war seine Antwort auf ein Schulsystem, das ihn trotz allergrößter Intelligenz durch das Raster fallen ließ. Es geht mir nicht so sehr um den Lehrstoff, wir müssen selbstverständlich eine Grundbildung haben. Aber die Methode, Kinder in kleine, geschlossene Räume ohne frische Luft und ohne Zugang zur Natur zu stecken, widerstrebt mir sehr.«

Ich dachte einen Moment über seine Ausführungen nach und gab ihm recht. Ich erkannte Parallelen zu meiner Schulzeit und erinnere mich noch heute an Lehrer, die mich beinahe um den Verstand gebracht hatten. Ich war sehr gut in Mathematik, Zahlen und Gleichungen lösten sich bei mir wie von Zauberhand. Ich hatte Probleme mit Sprachen. Ich wusste, dass ich niemals einen Berufsweg einschlagen würde, der mit einem hohen Maß an sprachlichem Talent zu tun hat. Ich hätte mir gewünscht, man hätte meine Stärken mehr gefördert und sich nicht an den Schwächen orientiert.

Dann sagte ich: »Nathapong, ich verstehe, was du meinst. Und ich gebe dir recht. Aber es gibt auch Schulen, die ganz andere Lernmethoden umsetzen, in der Natur, mit kleinen Klassen, mit individuellen Aufgaben für jeden Schüler. Meine Tochter war auf so einer Privatschule.«

Nathapong nickt und schaute auf den Boden. »Aber wer kann zu einer Privatschule gehen? Die Kinder, die einem reichen Elternhaus entstammen. Ich hatte nie die Gelegenheit dazu. Ist es fair, Kindern nicht die gleichen Chancen zu bieten, sich zu entfalten, aus der einfachen Abwägung, ob ihre Eltern viel oder wenig Geld besitzen? Das ist in meinen Augen ein grundfalscher Weg. Jedes Kind ist ein Teil von uns, und wir sollten alle gleich behandeln.«

Ich musste ihm zustimmen. Nein, ich wollte ihm zustimmen. An diesem Tag lernte ich unter der brennenden Sonne Thailands, wie Liebe und Güte sich auf alle Bereiche des Lebens erstrecken könnte. Wenn wir es nur zulassen würden. Ich für meinen Teil war bereit, meinen Beitrag zu leisten.

Ich stellte mich vor Nathapong, die Arme in den Hüften, und sagte: »Ich bin bereit. Wie lange wird es dauern, bis ich etwas ändern kann?«

Nathaong schaute mich an und erwiderte achselzuckend: »Vielleicht zehn Jahre.«

»Und wenn ich mich besonders anstrenge?«, wollte ich wissen.

»In diesem Fall kann es auch zwanzig Jahre dauern«, entgegnete er.

»Nein, ich meine, ich würde all meine Kraft in diese Sache investieren, jedes Hindernis auf mich nehmen, um so schnell wie möglich zu meinem Ziel zu gelangen.«

Nathapong schaute mich noch immer an und lächelte. »Dann«, sagte der Mönch, »kann es auch vierzig Jahre dauern.«

Ich schaute ihn mit einem Blick an, der Unverständnis ausstrahlte.

Nathapong sagte: »Je mehr du dich krampfhaft einer Sache zuwendest, desto länger wird sie dauern. Desto geringer werden die Fortschritte, die du erzielst. Hab einfach vertrauen. Jede Aufgabe muss zuerst in deinem Inneren gelöst werden, bevor du sie nach außen tragen kannst.«

Ich verstand es und vertraute ihm vollends.

»Was ist für dich der Sinn des Lebens? Der Sinn deines Lebens?«, fragte ich.

Nathapong blickte mich an und sagte: »Du wirst es erleben, wenn du dich selbst vom Leid befreist. Von den Fesseln der Habsucht und der Gier. Von den ständigen Vergleichen mit anderen Menschen. Wenn du deinen Geist reinigst und durch die noch trüben Fenster nach innen blicken kannst. Dann wirst du es erleben. Das ist es, worauf es im Leben ankommt. Freiheit. Freiheit von allem.«

Ich kann mich an diesen Abend noch genau erinnern. Ich saß dort für Stunden, nicht fähig, mich zu bewegen, etwas zu sagen oder zu machen. Ich war tief beeindruckt von der Weisheit dieses Mannes, von dem enormen Wissen, das er aus der westlichen Welt mitgebracht hatte, und von den ungemein tiefen Bedeutungen meiner Handlungen, die mir so zufällig vorkamen. Ich glaube, er merkte an diesem Abend, dass es genug für mich war, und verließ mich deshalb.

Ich nahm mir an diesem Abend vor, meinen Urlaub um einige wenige Tage zu verlängern, um noch mehr über mich und das Leben zu erfahren.

Komischerweise schlief ich an diesem Tag sehr schnell ein. Ich war erschöpft. Nicht vor Anstrengung, nicht durch die Hitze, sondern durch die Worte meines Freundes Nathapong.

XIII

MORGEN SOLL ES nach Hause gehen. Eigentlich. Mit diesem Gedanken begann ich den folgenden Tag. Ich lief an diesem Vormittag den schmalen Pfad hinunter bis ins Café. Ich fragte Linda nach der aktuellen Auftragslage und nach dem Befinden der Firma. Wir hatten an diesem Tag im April 2013 so viele Aufträge, dass ich es kaum glauben konnte. Meine E-Mails bestätigten Lindas Aussage. Ich bat sie guten Gewissens, meinen Rückflug zu stornieren und mir einen neuen zu buchen, der vier Tage später gehen sollte.

Am Café blickte ich über die offene Weite, sah die riesigen Palmen, die saftig grünen Bäume und die wundervollen kleinen Bäche unter der Sonne erstrahlen. Ich war glücklich dort. Mir ging es besser als je zuvor. Ich vermisste in keiner Sekunde meine Villa, meine Autos oder die Annehmlichkeiten meines alten Lebens.

Zurück am Tempel erwartete mich Nathapong. Wir hatten nie darüber gesprochen, aber für mich war er ein Freund geworden, von dem ich so viel über das wahre Leben lernen konnte.

Er lächelte, als er mich die Stufen hinauflaufen sah, und sagte: »Es freut mich, dass es deiner Firma so gut geht, Andreas.«

»Woher willst du das wissen?«, erwiderte ich.

»Weißt du, es gibt mehr Dinge zwischen Himmel und Erde, als wir mit dem Verstand erklären können. Ich weiß es einfach.«

Ich lachte und fragte mich bei diesem Mann schon länger nicht mehr, warum er mich täglich erneut verblüffen konnte. »Warum ist das so? Warum gibt es so viele Dinge, die wir nicht kennen, die aber scheinbar da sind?«, fragte ich.

»Es ist ein Schutz«, erwiderte Nathapong, »ein Schutz vor dem großen Ganzen. Viele Menschen könnten es nicht verstehen und wären ihrer Angst verfallen. Menschen wollen an etwas glauben, was uns lenkt und uns den Weg vorgibt. An etwas, woran wir glauben können. An eine Instanz, an die wir Verantwortung für Geschehnisse abgeben können. Kriege, Naturkatastrophen, Misshandlungen, menschliches Unrecht. Es wäre schwer zu begreifen, dass wir an allem selbst die Schuld tragen. Die Menschen brauchen einen Fixpunkt, an dem sie sich orientieren können. Naturkatastrophen kommen von der Erde selbst oder von Gott. So die vorherrschende Meinung. Wir verlassen uns gerne auf Dritte, um uns nicht schuldig zu fühlen. Wie viele Menschen kennst du, die sich schuldig fühlen für Dinge, die passiert sind? Das möchten wir vermeiden. Im christlichen Glauben ist dies weitverbreitet. Es gibt eine Erbschuld. Und wer Angst hat, schuldig zu sein, vermeidet böse Taten, so die Logik. Natürlich gerät man damit in einen Teufelskreis der Negativität und sperrt seine Kreativität in den düstersten Kerker. Im Buddhismus gehen wir anders damit um. Das Karma ist das Resultat deiner Taten, Gefühle und Gedanken. Jeder Aktion eines Menschen liegen gewisse Gegebenheiten zugrunde. Wenn du beispielsweise deinen Regenschirm aufklappst, ist die zugrunde liegende Gegebenheit meistens, dass es regnet. Diese Gegebenheiten lösen etwas in dir aus. Etwas Positives oder etwas Negatives. Etwas Neues oder etwas bereits Bekanntes. Etwas Abstruses oder etwas Eindeutiges. Wenn du Regen magst und dich darauf freust, würdest du keinen Schirm öffnen. Wenn du auf keinen Fall nass werden möchtest, öffnest du ihn. Stell dir vor, du hättest dich in unserem wunderschönen Regenwald verlaufen. Du würdest seit Tagen umherirren und stehst kurz vor dem Hungertod. Du fängst einen Vogel und tötest ihn, um zu überleben. Dann hast du etwas Schlechtes getan, nach unserer Anschauung. Wir töten keine Tiere. Selbst dann wärst du nicht unbedingt ein schlechter Mensch. Du hast auf die Gegebenheiten reagiert. Das, worum es geht, ist, deine Handlungen auf bestimmte Gegebenheiten zu hinterfragen. Wie würdest du reagieren, wenn du einen Menschen getötet hättest?«

Ich hörte ihm gebannt zu und versetzte mich in die Situation hinein.

»Ich würde es sehr bedauern und wünschte, es wäre nicht passiert. Würde aber der Vogel mich nicht auch töten – wenn er könnte –, um zu überleben? Das ist doch die Natur.«

Nathapong verlangsamte seinen Gang und sah mich an. »Ja, das würde er. Aber er weiß es nicht besser. Das ist die Pflicht eines Menschen und die Bürde, die damit einhergeht. Wärst du nicht moralisch schlechter als der Vogel, weil du um die Konsequenzen wissen würdest? Wäre es nicht deine Verantwortung, das große Ganze zu betrachten? Vielleicht ist dein Leben in diesem Moment nicht mehr wert als das des Vogels. Das wissen wir nicht. Aber wir Menschen haben die Pflicht, Unwissenheit zu vermeiden. Unwissenheit schützt nicht vor negativem Karma. Deshalb wirst du dein Leben lang ein Lernender bleiben. Genau wie ich. Zurück zu dem Mord. Du hättest einen Menschen getötet und du würdest es bedauern. Richtig? Das würde wohl vielen so gehen. Was ist das Problem daran? Du verhinderst Erkenntnis. Du versperrst dich den Fragen nach den Ursachen. Nach deinem Antrieb. Was hat dich dazu verleitet, diesen Menschen zu töten? Diese Frage ist es, die du klären musst. Bedauern ist selbstverständlich richtig, aber fühle dich nicht schuldig. Du blockierst damit dein Voranschreiten als Mensch. Du kannst ein Leben lang wissen, dass du etwas Schlimmes getan hast, und dich dafür schuldig fühlen. Dann wirst du bis ans Ende deines Lebens nicht wissen, warum. Im Buddhismus geht es immer darum, sich zu hinterfragen, Gründe für bestimmte Handlungen zu finden und diese am Maßstab der Liebe und der Güte zu messen. Wir brauchen die Erkenntnis, dass wir für alles selbst verantwortlich sind in diesem Leben. Auch für unsere schlechten Taten. Ich finde das toll. Wir haben zu jedem Zeitpunkt die Möglichkeit, unser Leben so zu gestalten, wie wir es möchten.«

Ich verstand seine Ausführungen, und sie berührten mich sehr. Dieser Mann hatte verstanden, wie das Leben funktionierte.

»Aber gibt es nicht Dinge und Gegebenheiten, die uns zwingen, manche Dinge zu tun? Ich meine, Steuern zahlen oder gesetzestreu zu leben?«, fragte ich.

Nathapong lachte. »Wer zwingt dich denn dazu? Der Einzige, der dich zu einer Handlung bewegen kann, bist du selbst. Musst du Steuern zahlen? Nein, du kannst es lassen. Natürlich musst du mit den Folgen leben. Wir Menschen haben über die

Jahrtausende hinweg gewisse Verordnungen aufgestellt, die ein Zusammenleben ermöglichen. Wenn du Teil dieser Gesellschaft sein möchtest, musst du dich an die Verordnungen halten. Du hast aber doch auch die Möglichkeit zu sagen, du verlässt diesen Kreis und entziehst dich den damit einhergehenden Verordnungen und Bestimmungen. Niemand kann dich zwingen.«

Nathapong blieb nun stehen und hielt mich an der Schulter fest. »Ganz wichtig, Andreas, du wirst es nie jedem recht machen können. Von diesem Gedanken musst du dich verabschieden, wenn du dein Glück finden möchtest. Ich erzähle dir eine Geschichte aus meiner Schulzeit in Thailand.«

Ein alter Mann reitet auf einem kleinen Pony, daneben läuft sein Enkelsohn. Da sagt ein Dorfbewohner ganz aufgebracht: „Unfassbar. Der lässt den kleinen Jungen einfach neben dem Pony herlaufen." Der alte Mann steigt daraufhin ab und setzt seinen Enkel auf das Pony. Der nächste Dorfbewohner ruft: „Das gibt es doch nicht, der Kleine sitzt wie ein König auf dem Pony und der alte Mann muss laufen." Daraufhin setzt sich der Vater zusammen mit seinem Enkel auf das Pony. Nun ruft ein anderer Dorfbewohner: „So eine Tierquälerei. Wie kann man mit zwei Personen auf so einem kleinen Pony reiten? Schlussendlich steigen beide vom Pony ab und führen es an der Leine den Weg entlang. Der nächste

Dorfbewohner ruft: „Ihr seid doch echt zu blöd. Ihr habt schon ein Pony, und trotzdem lauft ihr nur nebenher." Da nimmt der alte Mann seinen Enkel beiseite und sagt zu ihm: „Egal was du machst, es wird immer Menschen geben, die dich kritisieren und verurteilen. Frage dich niemals, was andere denken, wenn du reinen Gewissens und mit Liebe und Güte handelst."

Ich hatte diese Art Geschichten schon gehört. Aus Nathapongs Mund klangen sie um ein Vielfaches lehrreicher und schöner, weil er sich nicht nur stumpf erzählte. Er lebte seine Geschichten mit vollster Überzeugung.

Wir liefen eine Weile durch den dichten Regenwald, und die Luftfeuchtigkeit erreichte undenkbare Ausmaße. Ich schwitzte, aber es störte mich nicht im Geringsten. Ich fühlte mich sehr glücklich, befreit und auf eine Art stärker als zuvor. Ich hatte in Thailand keine Macht, keine Angestellten, die alles für mich taten, oder eine besondere Stellung in der Gesellschaft. Ich fragte Nathapong: »Du sagtest, wir sollten Vertrauen haben in eine größere Macht, ins Universum. Aber wie sollen meine Handlungen aussehen? Was soll ich ganz konkret tun, um ein besserer Mensch zu werden? Um ein Mensch wie du zu werden?«

Nathapong lief weiter gemächlichen Schrittes, die Hände hinter seinem Rücken gefaltet und den

Blick hoch in die Baumkronen gerichtet. Ich lief einen Meter hinter ihm und versuchte in seine Fußstapfen zu treten. Nach langem Schweigen sprach er schließlich: »Dafür gibt es keinen Plan, Andreas. Die Gelegenheiten, um der beste, gütigste und mitfühlendste Andreas zu sein, werden sich ergeben. Handle mit reinem Herzen, dann fügt sich alles. Die Situationen und die Entscheidungen, die auf dich am härtesten wirken, bergen oft das größte Glück. Ich möchte dir eine Geschichte dazu erzählen. Sofern du sie hören möchtest ...«

Ich nickte und lächelte. Nathapong konnte meine nonverbale Zustimmung nicht sehen, und doch nahm er sie wahr. Er begann zu erzählen.

Vor langer Zeit gab es in Surat Thani einen Bettler. Er lebte auf der Straße. Seit vielen Jahren. Das, was er täglich aß und trank, musste er sich erbetteln. Doch er wunderte sich, dass jemand ihm sein Essen klaute. Es verschwand aus seiner Schale und er konnte den Dieb einfach nicht finden. Eines Tages erblickte er eine Maus, wie sie gerade an seiner Schale zugange war und das Brot mit den Zähnen herausnahm und verschwand. Er wartete geduldig, bis sich die Maus erneut blicken ließ, und fragte sie: „Maus, warum klaust du mir mein Essen? Siehst du nicht, dass ich ein ganz armer Bettler bin? Wieso gehst du nicht die Häuser der Reichen und nimmst etwas von ihrem Essen? Sie können es verkraften." Die Maus antwortete: „Bettler, ich kann es nicht erklären, aber ich habe die Aufgabe, dass du nie mehr als sieben Dinge besitzen darfst. Daher stehle ich dir alles, was über diese Zahl hinausgeht. Es ist mein Schicksal, dich daran zu hindern, mehr als sieben Dinge zu besitzen." Der Bettler war verwundert und erstaunt. Er fragte sich, warum es jemandes Aufgabe sein sollte, einen anderen zu bestehlen. Eines Tages, als die Maus ihm erneut das Brot vom Teller stahl, machte er sich auf, den Buddha zu finden und ihn zu fragen, warum er nur sieben Dinge besitzen durfte. Er packte sich etwas zu essen ein und lief los. Er lief eine lange Strecke und es wurde langsam dunkel. Da erblickte er ein Haus, und er entschied, dort zu nächtigen. Er klopfte an die große Holztüre und der Hausherr öffnete. Der Bettler fragte, ob er eine Nacht bei dem Herrn schlafen dürfe. Dieser bejahte und bat ihn herein. Seine Frau kochte reichlich Essen, und der Bettler aß sich zum ersten Mal in seinem Leben satt. Die Frau fragte, welches Ziel der Bettler habe, und dieser erklärte, dass er den Buddha etwas fragen wollte. Daraufhin sagte die Frau: „Wenn du den Buddha siehst, kannst du ihm eine Frage für uns stellen?" Der Bettler war dankbar für die Gastfreundschaft und sicherte zu, dem Buddha eine Frage zu stellen. Die Frau ergänzte: „Wir haben eine wunderschöne Tochter, doch seit ihrer Geburt hat sie nicht ein Wort gesprochen. Frag den Buddha bitte, warum meine Tochter nicht spricht."

Der Bettler versprach es und setzte seinen Weg am nächsten Morgen fort. Auf seiner Reise zum Buddha stand er plötzlich vor einem riesigen Gebirge, das er unmöglich zu Fuß überqueren konnte. Er war niedergeschlagen und suchte nach einer Alternative. Da traf er einen sehr alten Mann mit langem, buschigem Bart und weißen Haaren, die bis zu seinem Rücken reichten. In der Hand hielt er einen Stab aus Holz mit einer großen gelb flackernden Kugel, umrahmt von kleinen Ästen. Der Bettler fragte den alten Mann: „Bist du ein Zauberer?" Der alte Mann bejahte und fragte, was der Bettler hier hoch oben auf dem einsamen Berg mache. Der Bettler erklärte, er wolle Buddha fragen, warum er ein Leben in Armut führen muss, und dass die Berge ihm den Weg versperren. Der alte Mann sagte: „Flieg mit mir. Ich bringe dich über die Berge." Er nahm den Bettler an die Hand und die beiden glitten in die Höhe. Als sie die riesigen Berge von oben sahen, sagte der alte Mann: „Tu mir einen Gefallen und frage den Buddha, wann ich endlich in den Himmel komme. Ich warte schon seit tausend Jahren darauf." Der Bettler war sehr dankbar für die Hilfe des alten Mannes und versprach, den Buddha in seinem Namen zu fragen. Als sie die Berge passiert hatten, setzte der Bettler seinen Weg fort. Er konnte den Tempel des Buddha schon erkennen, doch ein riesiger Fluss versperrte ihm den Weg. Die Strömung war so stark, dass er Angst bekam, darin zu ertrinken. Niedergeschlagen, so kurz vor dem Ziel scheitern zu würden, setzte er sich ans Ufer und war traurig. Da kam eine riesige Schildkröte des Weges und fragte den Bettler, warum er so traurig sei. Der Bettler erklärte, dass er auf dem Weg zum Buddha sei, um ihn zu fragen, warum er ein Leben in Armut führen müsse. Die Schildkröte sagte: „Ich kann dich sicher über den reißenden Fluss bringen. Würdest du den Buddha fragen, wann ich mich endlich in einen wunderschönen Drachen verwandle? Ich warte bereits seit 1000 Jahren." Der Bettler war dankbar über die Hilfe der Schildkröte und versprach, den Buddha in ihrem Namen zu fragen. Auf der anderen Seite des Flusses war er am Ziel. Er ging in den imposanten Tempel und fand den Buddha. Er faltete seine Hände zum Wai, verbeugte sich tief und fragte: „Ehrwürdiger Buddha, darf ich dir einige Fragen stellen? Ich bin einen sehr weiten gegangen und musste mit vielen Hindernissen umgehen, nur um dich zu finden." Der Buddha lächelte und erwiderte: „Natürlich darfst du. Du darfst mir drei Fragen stellen." Der Bettler erwiderte: „Aber ich habe vier Fragen." Der Buddha schwieg, und der Bettler dachte nach, welche Frage er auslassen würde. Das arme Mädchen, was nie gesprochen hatte, tat ihm sehr leid, und er fragte den Buddha: „Warum spricht dieses wunderschöne Mädchen nicht?" Der Buddha antwortete: „Das Mädchen wird sprechen, sobald sie ihren Seelenverwandten trifft." Der Bettler dachte über den alten, weisen Mann nach und entschied sich, auch seine Frage zu stellen. Der Buddha antwortete: „Der alte Mann muss nur seinen Stab loslassen, an dem er sich seit 1000 Jahren krampfhaft festhält. Dann wird er in den Himmel aufsteigen." Der Bettler hatte nun nur noch eine Frage übrig. Bei den Gedanken an die Schildkröte, die seit 1000 Jahren darauf wartet, ein Drache zu werden, kamen ihm seine Probleme sehr klein und unbedeutend vor. Daher entschied er, seine Frage nicht zu stellen und stattdessen die der Schildkröte zu nehmen. Der Buddha antwortete: „Solange sich die Schildkröte in ihrem Panzer versteckt, wird sie kein Drache werden. Sie muss den Panzer loslassen." Der Bettler dankte dem Buddha und verließ den Tempel. Auf dem Heimweg traf er die Schildkröte. Er sagte ihr, dass sie ihren Panzer loslassen muss, dann wird sie zum Drachen. Die Schildkröte schlüpfte aus ihrem Panzer und verwandelte sich zu einem riesigen Drachen. Im Panzer, den die Schildkröte zurückgelassen hatte, sah der Bettler Tausende wunderschöne Perlen aus den tiefsten Tiefen des Meeres. Der Drache bedankte sich beim Bettler und flog heiter in die Luft. Der Bettler traf daraufhin den alten, weisen Mann. Er sagte ihm, dass er seinen Stab loslassen müsse, dann würde er in den Himmel aufsteigen. Der alte Mann ließ los und stieg langsam und glücklich in den Himmel auf. Der Bettler war nun reich durch die Perlen der Schildkröte und mächtig durch den Stab des alten Mannes. Er flog mit dem Stab zum Haus des wunderschönen

Mädchens. Ihre Mutter öffnete die Türe und fragte, ob er mit dem Buddha gesprochen hatte. Der Bettler bejahte und sagte, dass sie sprechen werde, sobald sie ihren Seelenverwandten treffen würde. Daraufhin kam die Tochter die Treppe hinunter und fing an zu sprechen. Die Eltern waren schockiert. Der Bettler war der Seelenverwandte ihrer Tochter. Sie heirateten und lebten fortan glücklich und in Harmonie zusammen.

Nathapong beendete seine Geschichte und blieb stehen. Er sah mir tief in die Augen und sagte: »Das ist das größte Geheimnis, Andreas. Alles Gute, das du auf dieser Welt tust, wird zu dir zurückkommen. Du weißt nicht, wann oder in welcher Form, aber hab Vertrauen. Es wird passieren.«

Ich war gerührt von der Geschichte und dem tiefen Glauben Nathapongs an die Quintessenz dieser Geschichte. Ich fühlte mich bereit. Bereit, ein neuer, besserer Mensch zu sein. Nathapong würde mir diese Formulierung wohl ausreden wollen, da es seiner Meinung nach keine guten oder schlechten Menschen gibt. Ich war fest entschlossen, so viel zu helfen, wie mir möglich war.

Nathapong beobachtete mich während meines Gedankenexperimentes.

»Andreas«, sagte er mit ernstem Ton, »es gibt eine einzige Regel zu beachten. Tue Gutes, weil es von Herzen kommt, nicht, weil du etwas dafür erwartest.«

Ich nickte, und ich verstand. Dieser Mönch bedeutete mir in diesem Moment alles. Ich war unendlich dankbar, und ich spürte, wie sich die Dinge fügen. Ähnlich dem Bettler aus seiner Geschichte war ich wütend und konnte es nicht verstehen, wieso gerade ich einen Urlaub benötigen sollte. Ich verfluchte Linda dafür. Damals. Heute weiß ich, dass sie der Ausgangspunkt war für all das, was folgte.

Ich blickte Nathapong an und fragte ihn: »Woher weiß ich, ob meine Taten von Herzen kommen oder ob ich nicht doch unterbewusst im Gegenzug etwas dafür erwarte?«

Nathapong erwiderte: »Wenn du die Liebe spürst, wirst du es wissen.«

»Mit Liebe habe ich es nicht so, Nathapong. Meine Frau habe ich geliebt, meine Tochter natürlich auch, aber sie sind beide nicht mehr Teil meines Lebens«, erwiderte ich nachdenklich.

Nathapong sah mich an und lächelte: »Liebe ist viel mehr, viel größer. Liebe ist alles. Liebe hält die Menschheit zusammen. Lass mich dir eine Geschichte erzählen.«

Die kleine Sanja fragte ihren Vater, ob er ihr erklären könne, was die Liebe sei. Ihr Vater antwortete: »Nein, seitdem deine Mutter und ich uns haben scheiden lassen, kann ich dir das nicht mehr sagen. Ich dachte, das, was wir hatten, wäre die Liebe gewesen, doch ich habe mich wohl getäuscht.«

Daraufhin fragte die Kleine ihre Mutter. Doch auch sie wusste es nicht und meinte nur: »Frag deinen Papa.«

Tags darauf fragte Sanja im Kindergarten ihre Erzieherin, ob sie wüsste, was die Liebe sei. Diese antwortete ihr lächelnd: »Liebe ist ein Geschenk, und wenn du groß bist, wirst du sie hoffentlich kennenlernen.«

Doch damit konnte Sanja nicht so recht etwas anfangen. Als sie ihre Erzieherin fragte, ob man Liebe auch kaufen könne, antwortete diese: »Nein, doch es gibt Menschen, die denken, dass man das kann.«

Sanja fragte unzählige Menschen, doch niemand hatte eine Antwort, mit der sie glücklich war.

Sie fragte ihre Tagesmutter, ob sie wüsste, was die Liebe sei. »Ja, das weiß ich, Sanja«, antwortete diese, und das Kind wurde ganz hellhörig, »Liebe kannst du nur bekommen, wenn du auch Liebe gibst. Dann klopft dein Herz ganz wild und fühlt sich bunt und warm an.«

Sanja fragte, was mit dem Herz passiert, wenn man alleine ist.

Traurig antwortete die ältere Dame: »Dann fühlt sich das Herz wieder allein.«

In den Ferien besuchte Sanja ihre alte Großmutter. Sie dachte, dass ihre Oma doch wissen müsste, was die Liebe ist. Immerhin war diese schon über sechzig Jahre lang glücklich verheiratet. Die Oma lächelte, als Sanja sie nach der Liebe fragte. Ohne zu antworten, ging sie schnell ins Haus und kam mit einer kleinen alten Schatztruhe wieder zurück.

»Schau hinein und du wirst die Antwort auf deine Frage finden.«

Sanja öffnete die Truhe vorsichtig. Sie sah darin einen Spiegel.

»Schau dich an«, forderte die Oma sie auf, »du hast die Liebe in dir selbst. Dein Herz strahlt in den schönsten Farben, und du darfst dich immer selbst lieben, und zwar genau so, wie du bist. Jeder, der sich selbst liebt, strahlt dies aus und zieht Menschen an, die ihn lieben können. Die Liebe ist immer in dir, denk daran, meine kleine Sanja.«

Nathapong schaute mich an und fragte: »Weißt du, was das bedeutet, Andreas?«

Nein, ich wusste es nicht, die Geschichte war schön, aber was sollte sie aussagen? Ich schüttelte leicht den Kopf.

»Du musst dich selbst lieben. Immer und in jedem Moment. Mit allen Ecken und Kanten. Das ist es, was dich ausmacht. Das ist sehr wichtig, Andreas, und ein Schlüssel zum Glück.«

Ich blickte ihn an und erwiderte: »Wie soll ich mich denn selbst lieben? Ja, ich bin recht zufrieden mit mir, aber ...«

»Weißt du, Andreas«, unterbrach er mich, »wenn ich dich frage, warum du jetzt gerade hier sitzt, warum du in dieses Gewand gekleidet bist, was ist deine Antwort?«

»Na ja, ich bin hier im Tempel, um etwas über eure Kultur zu lernen und um mich weiterzubilden.«

Nathapong stand auf und bedeutete mir, ihm zu folgen. Wir liefen die Stufen des Tempels hinab bis zu dem schmalen Pfad, der uns ins Tal führte.

Auf der Hälfte der Strecke sagte ich: »Nathapong, ich möchte …«

»Was bedeutet Achtsamkeit, Andreas?«, unterbrach er mich ruhig. »Wenn du läufst, dann läufst du. Lass deine Gedanken ganz hier in dem Moment. Ich weiß, du hast viele Fragen und es erfordert Übung, aber die wirklichen wichtigen Erkenntnisse des Lebens findest du in der Stille.«

Schweigend setzte ich meinen Weg fort und überlegte. *Damit hat er recht, die tiefsten und grundlegendsten Erkenntnisse hatte ich hier, als ich still war. Als ich über seine Worte nachgedacht und sie gefühlt habe.*

Als wir im Tal ankamen, liefen wir die Straße entlang und kamen an ein schönes großes Haus auf Stelzen, das komplett aus Holz gebaut war. Eine große Treppe führte nach oben. Davor spielten einige Kinder im Gras. Nathapong und ich liefen geradewegs auf sie zu. Er blieb vor den Kindern stehen und stellte einem kleinen Jungen von etwa vier Jahren eine Frage. Der Junge schaute hoch und antwortete knapp. Ich verstand es nicht und bat Nathapong, es für mich zu übersetzen.

»Was hast du ihn gefragt?«

»Ich habe ihn gefragt, warum er hier im Gras spielt.«

Ich blickte ihn skeptisch an. »Und was war die Antwort?«

Nathapong lächelte. »Die Antwort war: „Darum".«

Ich lachte. »Was für eine sinnlose Antwort, aber er ist noch klein und weiß nicht, wie das Leben funktioniert.«

Nathapong nahm mich zur Seite, sah mir tief in die Augen und sagte: »Ganz im Gegenteil, Andreas.«

Wir setzten uns auf die Wiese, ungefähr zwanzig Meter von den Kindern entfernt. »Kinder begreifen auf dramatisch einfache Weise, worum es im Leben geht. Den Moment zu nutzen. Nicht an später oder morgen zu denken. Kinder sind frei. Frei von allem. Die Gesellschaft erzieht sie später zu Erwachsenen nach ihren Vorstellungen, und damit verlieren sie das Wertvollste, was es gibt. Ihre Freiheit, ihre Unbekümmertheit und ihre Lebensfreude.«

Ich blickte ihn an und spürte, dass er recht hatte. Langsam erhob er sich, ich tat es ihm gleich. Wir liefen zurück zur Straße, da berührte er meine Schulter, blickte mir in die Augen und sagte: »Lao-Tse sagte einmal: „Der große Weg ist sehr einfach, aber die Menschen lieben Umwege."«

Ich liebte dieses Zitat. »Was genau sind denn die Umwege, Nathapong?«, wollte ich wissen.

»Die Umwege sind zahlreich, Andreas. »Immer wenn du dich mit anderen Menschen vergleichst und

Unterschiede suchst. Alle Menschen sind eins. Was sie unterscheidet, ist der Name, den man ihnen gibt.«

»Was meinst du damit?«, fragte ich.

»Was haben wir beide gemeinsam, Andreas? Was haben wir und die Kinder von eben gemeinsam? Was hast du mit jedem anderen Menschen auf diesem Planeten gemeinsam?«

Ich dachte angestrengt nach, und mir fiel nur eine Antwort ein: »Wir sind alle Menschen. Aber ich glaube nicht, dass ich zum Beispiel viel mit den Ureinwohnern in Amerika gemeinsam habe. Wir leben doch komplett unterschiedliche Leben.«

»Das ist der Vergleich. Die Menschen denken, sie sind getrennt voneinander, doch sie sind alle verbunden. Du bist mit jedem Menschen verbunden. Jeder Mensch ist ein Teil der Schöpfung, und alle gehören zusammen.«

Ich schaute ihn an und er lächelte. Dann stellte ich ihm eine Frage, die mir lange auf dem Herzen lag.

»Nathapong, was ist dein größtes Glück? Ich weiß, es ist schwierig zu beschreiben, weil es so viele Ebenen betrifft, aber wenn du es in einem Satz formulieren solltest, was würdest du sagen?«

Nathapong lächelte mich an und sagte: »Ich lebe mit mir in Frieden. Es gibt auf der Erde kein größeres Glück.«

Ich war beeindruckt. Ich fühlte seine Worte sehr intensiv. Ich spürte, dass er so fühlte, und ich spürte, dass er mit sich absolut im Frieden war.

Ich fühlte mich frei und belebt, so als ob ich es gerne der ganzen Welt erzählen wollte. Jeder sollte das wissen. Dann fragte ich: »Nathapong, was ist aber, wenn etwas wirklich Schlimmes passiert? Wenn beispielsweise meine Frau stirbt? Wie soll ich denn damit umgehen?«

»Weißt du, wenn ein Mensch stirbt, bei dir in Deutschland, dann trauern die Menschen, richtig? Warum trauern sie?«

»Sie trauern um diesen geliebten Menschen«, war ich mir sicher.

Doch Nathapong schüttelte lächelnd den Kopf. »Nein, VIELE verfallen in Schockstarre, weil es meist unerwartet kam. Wie kann man auch damit umgehen? Wie kann man es planen? Man kann es nicht. Das ist das Geheimnis des Todes. Er erwartet uns alle, und wir wissen rein gar nichts darüber. Daher fürchten wir ihn, weil die Ungewissheit über das Fortleben immer ein stiller Begleiter für uns ist. Der Umgang mit dem Tod kann aber auch sehr befreiend und hilfreich sein.«

»Wie denn das?«, fragte ich zögerlich, nicht wissend, ob ich überhaupt mehr über dieses Thema erfahren wollte.

»Wir gehen anders mit dem Tod um. Die Menschen säubern den Körper, verzeihen ihm alle Schuld und bitten auch ihn um Befreiung der Schuld. So soll die Seele ihren Weg finden. Es sind meistens vier Mönche anwesend, und wir beten tagelang, um die Seele auf ihrem Weg zu geleiten. Dann wird der Körper verbrannt und die Asche meist im Meer verstreut. Aber die Menschen hier weinen nicht. Es ist schlicht und einfach eine andere Art der Trauer, als ihr sie gelernt habt. All deine Denkweisen, dein Handeln und deine Ängste hast du irgendwann mal als solche erlernt. Du saßt einige Stunden im Flugzeug und siehst, dass die Menschen woanders auch anders denken.«

Ich fand seine Ausführungen sehr spannend und hörte ihm gebannt zu.

»Wenn du vor einer schwierigen Entscheidung im Leben stehst, wie gehst du damit um?«

Ich überlegte und fragte: »Meinst du, ob ich eine Beziehung beenden oder einen neuen Beruf anfangen soll?«

Nathapong nickte nur.

»Na ja, ich überlege mir, welche Konsequenzen aus den jeweiligen Entscheidungen dafür oder dagegen eintreten können. Oft hat man Angst, sich falsch zu entscheiden, und bereut es im Nachhinein.«

Nathapong erwiderte: »Das ganze Geheimnis unserer Existenz ist es, keine Angst zu haben. Nun stelle dir vor, du hättest heute eine Entscheidung zu treffen. Nehmen wir an, du wärst in deinem Beruf nicht sehr glücklich und stehst vor der Option, einen neuen zu wählen. Du würdest zweifeln, viele

Theorien durchdenken, viele mögliche Szenarien im Kopf durchspielen. Stell dir einfach die Frage, wie du auf dem Totenbett rückwirkend entscheiden würdest. Das ist deine Antwort.«

Ich sah ihn zweifelnd an. »Aber auf dem Totenbett weiß ich ja bereits, wie eine bestimmte Situation geendet hat, und kann mich sehr leicht zu einer anderen überreden.«

Nathapong nickte. »Darum geht es nicht. Es geht darum, keine Angst zu haben und auf dein Herz zu hören. Jedes Menschenleben hat ein Maß an Leid. Manchmal bewirkt eben dies unser Erwachen. Wir müssen uns lediglich vergegenwärtigen, dass alles Leid irgendwann aufhört. Dass alles Gute irgendwann aufhört. Das ist das große Geheimnis. Nichts bleibt. Dein Körper nicht, deine Habseligkeiten nicht, dein Besitz und dein Reichtum nicht. Alles ist vergänglich auf dieser Welt. Die Natur macht es uns vor. Wir müssen einfach nur hinsehen. Doch wir Menschen wollen es oft nicht wahrhaben. Meiner Meinung nach ist das der Grund für das ganze Leid auf der Welt. Wir müssen aufwachen und erkennen. Ich möchte dir eine Geschichte dazu erzählen.«

Ein König sagte allen Weisen seines Königreichs: »Ich habe mir den besten Königsring aller Zeiten anfertigen lassen. Ein lupenreiner Diamant, Gold und Platin. Ich möchte von euch eine Botschaft, die ich in der Not und in allergrößter Verzweiflung heranziehen kann. Die Botschaft muss kurz sein, sie muss unter meinen Siegelring passen, sodass ich sie immer bei mir habe.«

All die Weisen und großen Gelehrten hatten tolle Botschaften, verfasst in langen Texten, doch eine Botschaft in ein paar kurzen Worten zu beschreiben, das erschien ihnen unmöglich.

Der König hatte einen Diener, der Teil der Familie war. Er behandelte ihn nicht wie einen Diener, sondern schätzte seine Aufopferung für die Familie des Königs. Der König sprach zu ihm: »Hast du solch eine Botschaft für mich?«

Der alte Mann sagte: »Ich bin kein Weiser, bin nicht gebildet und nicht gelehrt, aber ich kenne die Botschaft. Es gibt nämlich nur eine einzige Botschaft. Deine Weisen und Gelehrten können sie dir nicht geben, denn sie steht nicht in Büchern. Man muss sie erlebt haben. Ich bin dir sehr dankbar dafür, wie du mich hier im Palast all die Jahre behandelt hast. Als Geste meines Dankes gebe ich dir diese Botschaft.«

Er schrieb sie auf einen kleinen Zettel, faltete ihn zusammen und sagte zum König: »Lies sie nicht jetzt. Behalte sie unter deinem Ring, sicher verwahrt, und öffne sie erst in Zeiten allergrößter Aufregung und Anspannung.« Diese Zeit sollte bald kommen. Das Königreich wurde überfallen und der König verlor sein Reich. Er floh auf seinem Pferd, um den Angreifern zu entkommen. Die feindlichen Reiter verfolgten ihn, sie waren in der Überzahl. Er war ganz alleine.

Da kam er an einen Ort, an dem der Weg zu Ende war. Vor ihm erhoben sich riesige Mauern, und ein dichter Wald umzingelte ihn. Es gab kein Entkommen. Sollten die Reiter ihn finden, wäre dies sein Ende. Zurück konnte er wegen der feindlichen Reiter nicht, er hörte bereits die Hufe ihrer Pferde. Es gab keinen Ausweg.

Plötzlich erinnerte er sich an den Ring. Er öffnete ihn und nahm den Zettel heraus, auf dem die Botschaft des Dieners stand: »Auch dies wird vorübergehen.«

Während er den Satz las, wurde er ganz still. Auch dies wird vorübergehen. Die Reiter, die ihn verfolgt hatten, schlugen einen anderen Weg ein und fanden den König nicht. Der König verspürte große Dankbarkeit gegenüber seinem Diener.

Er faltete den Zettel wieder zusammen und steckte ihn zurück in den Ring. Einige Zeit später rekrutierte er neue Truppen und eroberte sein Reich zurück.

An dem Tag, an dem er siegreich wieder in sein Königreich einzog, wurde er von allen Menschen ausgelassen gefeiert. Er war sehr stolz auf sich selbst.

Der alte Diener ging neben seinem Wagen her und sagte: »Mein König, auch jetzt ist der richtige Moment, die Botschaft zu lesen. Lies sie noch einmal.«

»Was meinst du damit?«, fragte der König, »jetzt brauche ich die Botschaft nicht mehr. Ich habe gewonnen, das Königreich gehört wieder mir. Siehst du nicht, wie die Leute mich feiern?«

»Hör mir gut zu«, sagte der alte Mann, »diese Botschaft ist nicht nur für Zeiten der Hoffnungslosigkeit. Sie ist ebenso für Zeiten des Überflusses, Zeiten des Sieges und Zeiten des Erfolges. Sie gilt nicht nur, wenn du Verlierer bist. Sie gilt auch, wenn du Sieger bist. Nicht nur, wenn du der Letzte bist, sondern auch, wenn du der Erste bist.«

Der König öffnete seinen Ring und las die Botschaft: »Auch dies wird vorübergehen.«

Plötzlich überkam ihn derselbe Frieden, dieselbe Stille – mitten in der Menge, die feierte und tanzte. Sein Stolz, sein Ego waren verflogen. Alles geht vorüber.

Er bat seinen alten Diener, in seinen Wagen zu kommen und neben ihm zu sitzen. Er fragte ihn: »Alles geht vorüber. Ich verstehe es nun. Gibt es noch eine Botschaft, die du mir mitteilen möchtest?«

Der alte Mann sagte: »Vergiss nicht, dass alles vorübergeht. Nur du bleibst, du bleibst ewig als Zeuge. Alles geht vorbei, aber du bleibst. Du bist die Wirklichkeit. Alles andere ist nur ein Traum, ein Schein, eine Momentaufnahme. Es gibt schöne Träume, und es gibt Albträume. Aber es spielt keine Rolle, ob es ein schöner Traum oder ein Albtraum ist. Was eine Rolle spielt, ist das, was den Traum sieht.

Dieses Sehen ist die einzige Wirklichkeit.

Auch dies wird vorübergehen. Ich begriff es endlich. »Was ist mit diesem Sehen gemeint? Unsere Seele?«

Nathapong lächelte. »Ja, mein Freund, damit ist gemeint, dass der Traum vorübergeht, aber deine Seele weiterlebt. Wenn deine Aufgabe hier erledigt ist, wirst du weiterziehen. Deinen Besitz wirst du nicht mitnehmen, deine Erfolge wirst du nicht mitnehmen, deinen Körper wirst du nicht mitnehmen. Du bekommst eine neue Aufgabe und erhältst erneut die Möglichkeit, zu leben. Du suchst dir neue Eltern, bei denen du deine Aufgabe angehen kannst. Für uns ist das Nirvana die letzte Stufe, der Austritt aus dem Samsara, also aus dem ewigen Kreislauf von Leben und Tod durch Erwachen. Durch Erkenntnis. Es ist das Ende des Leids mit falschen Vorstellungen wie Gier, Hass und Anhaftung.«

Ich verspürte in mir das tiefe Gefühl des Verständnisses. Mein Erfolg, mein Vermögen, alles, was ich erreicht hatte, waren endlich. Mein Leben war endlich. Andreas war endlich. Mein ganzer Besitz, meine Erfolge, meine Titel, das war nicht ich. Da war mehr, und ich spürte es an diesem Tag sehr deutlich.

Mit dem Ende dieser Geschichte kamen wir zurück zum Tempel. Ich hatte das Zeitgefühl völlig verloren und war einerseits unglaublich aufgeregt angesichts der Entscheidung, die ich wohl schon lange vorher tief in mir getroffen hatte. Andererseits war ich angekommen. Ich hatte begriffen, worum es im Leben eigentlich geht, und ich spürte es jeden Tag eindringlicher.

An diesem Nachmittag setzte ich mich auf unsere steinerne Bank und ließ die letzten Wochen Revue passieren. Alles, was ich erfahren hatte, was ich gelernt hatte, teilweise schmerzhaft gelernt hatte, konnte ich nicht wieder vergessen. Ich wollte es nicht wieder vergessen. Ich überdachte mein Leben im Luxus, meine Einstellung und Haltung gegenüber anderen Menschen und erkannte tief in mir, dass dieses Leben im Einklang mit der Natur und im Einklang mit mir selbst das einzig Wahre sein konnte.

Ich saß dort ohne Besitz, ohne Gier nach irgendetwas. Ich saß dort völlig befreit, zufrieden und glücklich. In diesem Moment wusste ich, ohne darüber nachzudenken, dass das mein Weg sein sollte. Meine Lebensaufgabe sollte sein, Erkenntnis zu erlangen, dankbar zu leben und alle Menschen, ungeachtet ihrer Herkunft, ihres Aussehens und ihres Charakters, zu schätzen.

Es war ein Freitag – der dritte Mai, um genau zu sein –, als ich meine Entscheidung fällte, nicht mehr nach Deutschland zurückzukehren. Besser gesagt kam mir die Entscheidung, ich fühlte sie, ich entschied es nicht bewusst.

Wie mein Freund Nathapong zu sagen pflegte: „Die Entscheidung ist schon vor langer Zeit gefallen, aber heute siehst du sie.“

Ich kann diesen Tag auch heute noch beschreiben, als wäre es gestern gewesen. Die Nachmittagssonne schien wunderbar heiß und kraftvoll. Ich sah die unzähligen Vögel von Baum zu Baum zu fliegen. Ich sah hinter mir den eindrucksvollen Tempel, der mein Zuhause geworden war. Ich sah keine Wolken am Himmel. Ich war voll und ganz bei mir selbst. In diesem Moment. Es ging mir besser als je zuvor.

Dieses Gefühl, das ich an jenem Tag verspürte, hätte man mit keinem Geld der Welt aufwiegen können. Ich weiß noch, wie euphorisiert und voller Elan ich war und wie ich nicht den Hauch von Angst verspürte, mein Leben komplett zu ändern. Alles über Bord zu werfen, was ich noch vor wenigen Wochen als das wertvollste auf der Welt erachtete.

Ich lief wie berauscht zu Nathapong und wollte ihm erzählen, was ich für mich beschlossen hatte. »Nathapong, ich möchte dir etwas sagen«, rief ich.

Er fing an zu lachen und unterbrach mich: »Ich weiß, Andreas.«

Ich fing ebenfalls an zu lachen und wusste, dass er meine Entscheidung bereits ahnte. Wahrscheinlich hatte er es noch vor mir gewusst.

Eines Tages standen Nathapong und ich im Garten des Tempels und hörten Stimmen, die vom Eingang in den Garten drangen.

Er sagte zu mir: »Du bist dran«, legte die Hand auf meine Schulter und gab mir einen Blick tiefsten Verständnisses. Ich lief zum Eingang, wo am Fuße der Treppe eine Gruppe aus drei Menschen wartete, augenscheinlich Touristen, wie ich vor vielen Jahren einer gewesen war.

Ein junger Mann kam die Treppen hoch und blieb vor mir stehen. Meine Hände waren unter meinem Gewand, ich stand barfuß vor ihm in meiner orangenen Robe und schaute ihn an. Er sagte leicht nervös: »Hallo, mein Name ist Thomas, wir kommen aus Frankreich und wohnen für einen Monat im Tempel. Sind wir hier richtig?«

Ich erinnerte mich an meine erste Begegnung mit meinem Freund Nathapong. Die Sonne schien unbarmherzig, ich sah die Anstrengung der drei, die wie ich damals den rechten Pfad durch den Regenwald genommen hatten, voll mit Gepäck und nass geschwitzt.

Ich sah ihn für einige Sekunden einfach nur an und lächelte. »Wer weiß.«

NACHWORT

NACHDEM ICH MEINE Entscheidung getroffen hatte, nicht mehr nach Deutschland in mein altes Leben zurückzukehren, rief ich meine Frau an und entschuldigte mich bei ihr. Ich vergab ihr und sie vergab mir. Ich rief meine Tochter an und sagte, dass ich sie liebe und immer für sie da sein werde. Ich rief Marta, Jochen, Linda und alle meine Bekannten an und sagte ihnen, dass ich dankbar bin, dass sie Teil meines Lebens sind und dass ich sie liebe. Ich beauftragte meinen Anwalt und meinen Steuerberater damit, mein Haus an meine Hausdame Marta zu überschreiben und dafür zu sorgen, dass sie ohne Sorgen bis an ihr Lebensende dort wohnen kann . Meine Autos schenkte ich meinem Fahrer Jochen. Die Leitung meiner Firma vertraute ich keinem Manager, oder dem Mitarbeiter mit den besten Zahlen an. Ich gab die Aufgaben der Geschäftsführung an Linda, die noch heute diesen Posten innehat. Ich verkaufte mein Aktienportfolio und spendete mein gesamtes Vermögen dem Tempel, dem Nationalpark in Khao Yai und den Bewohnern des Dorfes. Das war meine Art der Gesellschaft etwas zurück zu geben. Wir bauten eigenhändig neue Straßen, pflanzten Bäume und wir schützen täglich die gefährdeten Arten des Regenwaldes. Die Anteile an meiner Firma behielt ich und verwende die jährliche Gewinnausschüttung für die wundervollen Menschen, die mir das echte Leben gezeigt haben. Ich schreibe diese Zeilen in dem kleinen Café am Fuße des Tals in Surat Thani. Heute bin ich seit mehr als sieben Jahren in Thailand. Ich lebe mit den Mönchen, mit den Menschen des Dorfes und ich bin der glücklichste Andreas, der ich sein kann.

Hier im Café endet meine Geschichte und hier begann vor sieben Jahren mein Leben.

Ich bin glücklich. Ich bin dankbar.

Manufactured by Amazon.ca
Acheson, AB